Notre Librairie

Revue des littératures du Sud

"Chez moi, je me détourne un peu plus souvent à ma librairie...
Elle est au troisième étage d'une tour...
Les livres ont beaucoup de qualités agréables à ceux
qui les savent bien choisir ; mais aucun bien sans peine."

Michel de Montaigne, *Les Essais*

La bande dessinée

Editorial

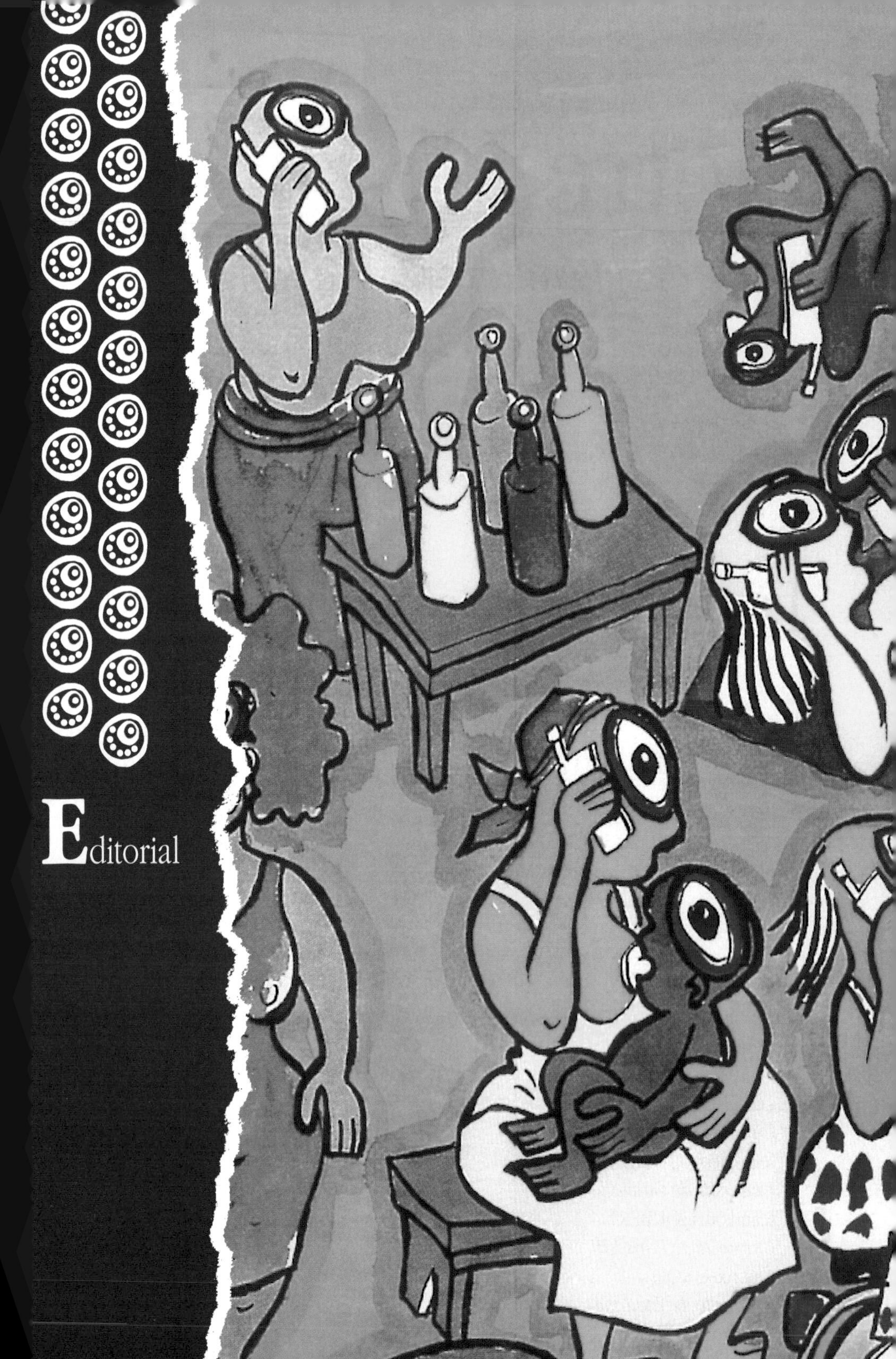

© Hector Sonon

Initiales B.D. ...

Derrière ces simples initiales, tout un univers se dessine et, depuis quelque temps, l'idée était dans l'air de consacrer une livraison de *Notre Librairie* à la bande dessinée du Sud. Certains de nos numéros centrés sur la littérature d'un pays avaient déjà fait une place à la production de B.D. Mais voici aujourd'hui une entreprise beaucoup plus ambitieuse, dont la nouveauté éclatera aux yeux de nos lecteurs : la revue s'est mise en couleurs pour accueillir la B.D. africaine et celle de l'océan Indien.

Par sa nature même, à la marge de la littérature reconnue et académique (« paralittérature » dit-on parfois), la B.D. choisit (ou doit par force se contenter) des supports et lieux d'expression moins nobles que ceux que s'arroge la « grande littérature ». Il faut donc aller la rencontrer là où elle attire ses lecteurs, dans des journaux et des revues spécialisées. Mais journaux et revues, comme les roses, ne vivent qu'un moment. On les garde rarement. Sans la passion des mordus de B.D. (et leur fréquente manie de la collection), certaines belles planches seraient introuvables.

Ce numéro 145 de *Notre Librairie* propose donc - sans prétendre, naturellement, être exhaustif - de faire percevoir certains aspects des réalités et des problèmes de la B.D. du Sud. Le premier constat, réjouissant, est celui de l'importance de son audience. Il arrive que des revues (comme *Gbich !* à Abidjan) tirent à 40 000 exemplaires, vendus relativement bon marché et donc vraiment achetés par les lecteurs. Il y a de quoi faire rêver bien des romanciers... Mais tout n'est pas si idyllique. Car la production et la vente d'albums posent beaucoup plus de problèmes économiques. Sans parler des contraintes idéologiques et politiques, car la B.D. est un art en prise directe avec l'évolution de la société, donc parfois contestataire...

La B.D. du Sud commence à être pleinement reconnue dans les grands festivals internationaux et organise aussi localement ses propres rencontres. Elle s'interroge donc sur sa finalité, sa pratique, son originalité. Forme pleinement populaire, elle intègre nécessairement des modèles empruntés aux grandes écoles mondiales (plusieurs articles analysent ce type d'échanges Nord/Sud) mais elle invente une voie propre.

Il est désormais interdit de limiter la B.D. en Afrique au (trop ?) célèbre *Tintin au Congo*.

Jean-Louis JOUBERT
Directeur éditorial
Université de Paris XIII - Villetaneuse

À propos des styles graphiques dans la B.D. d'Afrique

PATIENCE... J'EN AI POUR DEUX MINUTES

En Afrique

par Christian Cailleaux

QUAND JE VAIS EN AFRIQUE
- ET CELA ARRIVE SOUVENT -
JE DESSINE. OR, IL Y A DEUX FAÇONS DE S'Y PRENDRE LÀ-BAS.
LA PREMIÈRE C'EST L'EXOTIQUE, L'ANECDOTIQUE, VOIRE L'ANTHROPOLOGIQUE... POUR NE PAS DIRE TOURISTIQUE ! FRAPPÉ PAR L'ÉCLAT DES COULEURS, LE MOUVEMENT FLUIDE DES PAGNES CHATOYANTS ET L'ABONDANCE DES FORMES ET DES ATTITUDES NOUVELLES, ON EST TENTÉ DE FAIRE FIGURER CHAQUE ESQUISSE DANS UN CARNET DE VOYAGE.

LES SCÈNES TYPIQUES...

LES PAYSAGES...

Flag
BIAFINE
LES OBJETS...
MAIS IL EST DIFFICILE DE DESSINER À L'EXTÉRIEUR À CAUSE DES ENFANTS ! LE DESSIN A TOUJOURS QUELQUE CHOSE DE MAGIQUE ET FASCINANT.
?!?

POUR Y PARVENIR, ON ARRIVE ALORS À LA SECONDE FAÇON DE DESSINER EN AFRIQUE
CELLE QUI EST LIÉE AU TEMPS. LE TEMPS DE PARLER, LE TEMPS DE S'ARRÊTER. COMME ELL
EN RACONTE ELLE-MÊME, LA BANDE DESSINÉE SE NOURRIT D'HISTOIRES.
QUAND ELLE VENAIT AVEC SES FRÈRES ET SOEURS ME RENDRE VISITE, LA PETITE AÏSSATOU
M'EXPLIQUAIT TOUT DE SES JOURNÉES À L'ÉCOLE PRIMAIRE DE L'AUTRE CÔTÉ DE LA PLACE.

ABDOULAYE M'A APPRIS À FAIRE LE THÉ ET TROUVAIT MON MÉTIER PAS TRÈS SÉRIEUX.

PAPA DIOP, LE MAÇON AVEC SES LOURDES MAINS, M'A LONGUEMENT ÉCOUTÉ, MÊME S'IL NE PARLE PAS BIEN LE FRANÇAIS.

ET PARTOUT DANS LE MONDE LES RÉACTIONS SONT LES MÊMES.

Comme c'est mignon !

C'est toi qui fais Lucky Luke ?

Y sont où les Mangas ?

Vous faites aussi les femmes nues ?

Houla ! C'est cher !

J'ai écrit une histoire qui ferait une belle BD ...

C'est jamais pour les filles !

Vous avez l'heure ?

LA BANDE DESSINÉE EST PRESQUE DEVENUE UN LANGAGE UNIVERSEL. AU-DELÀ DES BATAILLES DE CLOCHERS SUR LES STYLES ET LES GENRES, LE FAIT DE MARIER LE MOT ET L'IMAGE AU SERVICE D'UNE NARRATION EST UN FORMIDABLE OUTIL DE COMMUNICATION.

ON EN VIENDRAIT À SE DEMANDER SI ELLE N'EST PAS LE SUPPORT IDÉAL - MODERNE ET PEU ONÉREUX - QUI TRANSPOSERA LA TRADITION ORALE DE L'AFRIQUE...?

IL Y A CEPENDANT BIEN D'AUTRES DIFFICULTÉS À COMBATTRE :

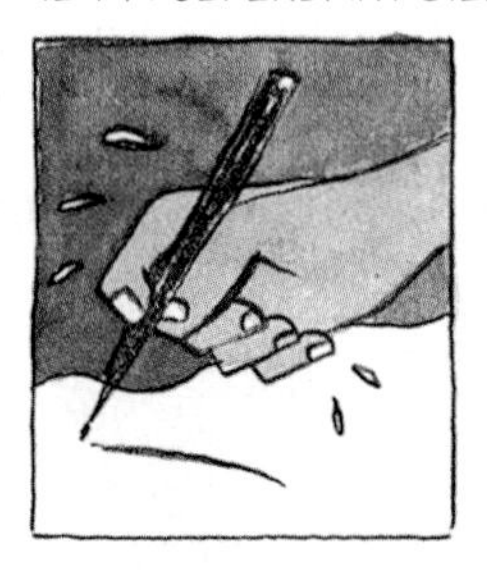

LES MAINS MOITES QUI FONT GONDOLER LE PAPIER,

LES TACHES DE POUSSIÈRE SUR LA FEUILLE BLANCHE,

LES VISITES IMPROMPTUES ET PARFOIS NOMBREUSES,

LE RÉAPPROVISIONNEMENT EN MATÉRIEL DE DESSIN...!

TOUS LES DESSINATEURS AFRICAINS QUE J'AI RENCONTRÉS SONT DES HÉROS CAR ILS VIVENT CHAQUE JOUR AVEC CES DIFFICULTÉS MAIS NE VEULENT PAS RENONCER À LEUR PASSION. ILS DESSINENT POUR TOUS : LA PRESSE, LES O.N.G., LES ENTREPRISES PRIVÉES, LES TOURISTES COMME LES PARTICULIERS. ILS TENTENT VAILLAMMENT DE SURVIVRE À LA QUASI-ABSENCE D'ÉDITEURS DIGNES DE CE NOM.
ILS RÊVENT D'ALBUMS EN COULEURS ET D'UNE RECONNAISSANCE BIEN LÉGITIME.

J'AI D'ABORD RÉALISÉ, AVEC UN SCÉNARISTE, DEUX ALBUMS QUI SE DÉROULAIENT DANS L'IMBROGLIO POLITIQUE DU CONGO-BRAZZAVILLE PARCE QUE JE L'AI VÉCU.
MAIS J'AI CONSTATÉ ENSUITE QUE CE SONT LES DESSINATEURS DU SUD QUI DOIVENT RACONTER EUX-MÊMES LEUR HISTOIRE.
MOI JE POURSUIS MON VOYAGE ET MA DÉCOUVERTE. C'EST CE QUE RACONTENT MES ALBUMS, PEUPLÉS DE PRINCESSES ALANGUIES, DE PROMENEURS INSOUCIANTS ET D'IVRESSES VAGABONDES...!

LES SUPER-HÉROS DES EXCELLENTS DESSINATEURS MALGACHES, LES CARICATURES DES IVOIRIENS OU DES SÉNÉGALAIS, LES CONTES ILLUSTRÉS DU BURKINA FASO SONT LA PREUVE PARMI D'AUTRES DE LA VITALITÉ ET DU DÉSIR DE SURVIVRE DE LA «NARRATION GRAPHIQUE» AU SUD.

DEPUIS MAINTENANT PRÈS DE DIX ANS JE FAIS DE LA BANDE DESSINÉE.
DEPUIS DIX ANS JE VAIS EN AFRIQUE.
CES DEUX AVENTURES SONT INTIMEMENT LIÉES, À TEL POINT QUE J'EN VIENS À ME DEMANDER SI CE N'EST PAS L'AFRIQUE QUI A FAIT DE MOI UN DESSINATEUR...

CHRISTIAN CAILLEAUX

Bibliographie

Série « Arthur Blanc-Nègre » avec B. Sallé
Tome 1 - **Le Gecko Blanc.** (Epuisé)
Dargaud Editeur 1994.
Tome 2 - **Les Barricades.** (Epuisé)
Dargaud Editeur 1995.

Collection Beaux Livres
Haëllifa, conte oriental à propos des femmes et de l'ivresse.
Dargaud Editeur 1996.

Collection Roman BD
Harmattan, le vent des fous.
Dargaud Editeur 1998.

Le Café du Voyageur
13 Etrange Editeur, octobre 2000.

La Terrasse de Goroumbaye.
Ed. Les Humanoïdes Associés, oct. 2001.

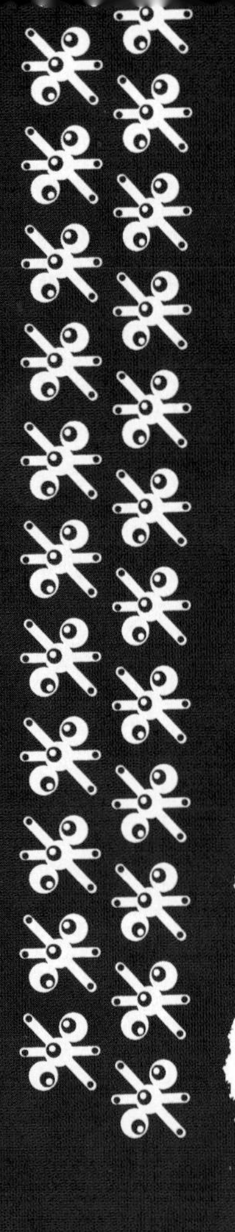

1

Tour d'horizon

Qu'il s'agisse de la création proprement dite comme des divers styles graphiques qui s'y expriment, une chose est certaine, la B.D. est en mouvement dans les pays du Sud.
Le tour d'horizon proposé dans ce dossier examine, dans l'océan Indien et en Afrique, la complexité des évolutions constatées. Le dynamisme doit encore composer avec une réelle précarité, et l'ouverture vaincre une certaine marginalité.

À propos des styles graphiques dans la B.D. d'Afrique

Jean-Louis Couturier

La bande dessinée africaine a-t-elle un style ? À quel genre graphique fait-elle appel et quels sont les ressorts "scénaristiques" qu'elle utilise ? Ce que l'on peut affirmer, c'est que la B.D. africaine est bien, pour le moment encore, très liée à ses aînées belge et française. À cela plusieurs raisons, la première étant que les différentes communautés religieuses en Afrique ont utilisé – plus ou moins – la B.D. comme vecteur de formation et d'éducation morale ou civique. Une seconde raison importante est la place accordée à la B.D. par différents centres culturels français et leurs responsables et cela d'une façon continue depuis une vingtaine d'années. Ceux-ci, organisateurs de manifestations et stages divers de formation avec des bédéistes français ou belges, ont contribué à l'éclosion de talents africains. Cette filiation se retrouve bien sûr dans les divers styles graphiques que les dessinateurs africains utilisent. Cela va parfois d'un réalisme outrancier et cru à des graphismes extrêmement épurés à la limite d'une certaine abstraction...

Influences et constantes

Dessiner un visage africain ne fait pas d'office d'une B.D. une B.D. africaine. Dans le même ordre d'idée, on ne peut pas, semble-t-il, encore parler aujourd'hui d'une B.D. africaine spécifique. Ceci dit, il existe une réelle constance à travers la production de nombreux dessinateurs du continent noir. Beaucoup utilisent un trait d'une extrême finesse surtout dans les visages, ce qui n'est pas toujours compatible avec les moyens de reproduction (gravure et impression) : c'est un défi à relever. On retrouve aussi l'influence des dessins animés de Walt Disney et plus rarement les *mangas* japonais.

Une réelle constance à travers la production de nombreux dessinateurs du continent noir.

L'explosion de la télévision en Afrique n'est pas étrangère à cette présence plus récente. Il faut savoir que la majeure partie de la production locale est en noir et blanc ou reproduite ainsi, même si les originaux sont en couleur. Aussi, les dessinateurs africains

1

2

travaillent-ils, dans le meilleur des cas, leurs dessins rehaussés d'aplats noirs ou de grisés au trait quand ils veulent suggérer ombre ou volume. Ils sont aussi presque tous autodidactes et quelques jeunes filles se risquent dans la profession. L'exercice de ce métier ne leur est pas facile et parfois ils sont en butte à l'hostilité de leur famille. Il nous faudra donc excuser par avance ce qui apparaîtrait d'emblée comme relevant de la maladresse et de l'approximation dans certains dessins.

Un style réaliste au service de tous les sujets

Le graphisme, chez bon nombre de dessinateurs africains, peut se caractériser par un recours fréquent au trait simple et, parfois, une certaine emphase dans la mise en scène. Tous les genres sont abordés : fiction historique, aventure, vie quotidienne, humour. La ligne claire, en quelque sorte celle de Tintin, est plus ou moins bien maîtrisée, mais c'est elle qui se rencontre le plus.

La santé, et notamment le sida, sont des thèmes fréquents, mais pas exclusifs. Nous verrons aussi que les bédéistes africains manient l'humour avec férocité pour parler sans pudeur ni retenue de certains sujets. Le dessin, à la ligne claire ou travaillé comme une illustration plus réaliste, n'hésite pas : il expose crûment les choses, les situations ne sont pas cachées, les personnages ont des émotions que l'on perçoit. Le dessin et le scénario sont sans ellipse ni suggestion. (Pour exemple, voir les documents 1, 2 et 3).

S'il y a bien une particularité en matière de bande dessinée africaine, c'est qu'elle est presque toujours au service d'un projet éducatif souvent très explicite et révélé comme tel en conclusion d'une histoire. Il est rare, même dans les dessins d'humour, d'y échapper. Quand le sujet est difficile – notamment le sida – les auteurs africains présentent le sujet comme un cauchemar ou un mauvais rêve, concession à la réalité quand celle-ci est trop difficile. Quant aux moyens de lutter, ils ne sont pas cachés.

1 - GABON
Genre : humour / aventure
« Le Must », *BD Boom* Hors Série
Joël Moudounga, Rat-le-Bol
Un style « ligne claire » pour des personnages « hard ». On pense à Raymond Macherot ainsi qu'à ses héros, Chlorophylle et Minimum.
Le sujet n'est pas bucolique. Il s'agit du nettoyage des ordures par les rats. Certains, chassés de leur ville par des écolos (un comble !), se réfugient à Libreville pour faire les poubelles. Protestation des rats natifs. Après discussions et palabres, tout s'arrange. Il ne reste qu'à en parler au président de la République. Pourquoi pas !

2 - GABON
Genre : humour
BD Boom, supplément au n°2, spécial journée mondiale de lutte contre le sida.
XXL par Pahé
Un trait qui ne fait pas dans la dentelle ni la nuance. Mais le dessin et le propos se veulent efficaces et clairs. C'est de l'humour « énorme », un peu à la *Charlie Hebdo*, certes ! Mais en Afrique le sujet est plus qu'une urgence. Alors admettons !

Un recours fréquent au trait simple et, parfois, une certaine emphase dans la mise en scène.

3

4

5

3- SÉNÉGAL
Genre : vie quotidienne / santé, dro
de l'Homme
Le choix de Bintou, Dakar, Enda ti
monde, 1999.
Yann N. Diarra (scénario), El Hadj S
Ndiaye (dessin), Aly Sidy Mbar Faye
(couleur)
Un autre style « ligne claire » au serv
d'un projet pédagogique précis. Tou
est dit et montré. Le dessin appuie le
propos parfois jusqu'à la caricature.
Décors et personnages ancrent l'hist
dans la quotidienneté la plus totale.
auteurs ne cachent pas que les
résistances seront vives.

4 - BÉNIN. Genre : fiction historique
« Les couleurs de la mémoire », Du c
de Xogban, Porto Novo (Bénin), rev
Interfaces n°=1 -
Florent-Couao-Zotti (scénario), Hect
Sonon (dessin).
Hector Sonon est un illustrateur
particulièrement créatif. Ce sont un t
simple, des couleurs chaudes et une
recherche soignée pour les décors et
personnages. Cette B.D. met en scèn
trois archéologues africains à la
recherche du bracelet magique de la
princesse Youba Adéfèmi. Le récit es
simple et linéaire. Il permet au lecte
d'assister à une sorte de carnaval
démocratique, ou chacun peut expri
son sentiment devant le roi et sa cou
propos d'un conflit.

5 - TCHAD. Genre : fiction historique
Collectif : Palabres au Tchad – « Raba
la conquête du Kouba »
Textes et dessin de Adji Moussa A.
Un style réaliste plus sommaire mais
beaucoup plus en mouvement. Rien
n'est fait dans la nuance : ni le dessin
ni les propos échangés. Un style
graphique au service de personnages
énergiques. Les décors, quoique
sommaires, suggèrent bien que nous
nous trouvons au nord de la Corne d
l'Afrique.

La B.D. historique et ses héros démystifiés

Le plus souvent réaliste, accompagnée de discours plus ou moins soignés et documentés, la bande dessinée de fiction historique traduit une volonté affirmée, de la part des auteurs, de mettre en valeur les personnages dont ils parlent. Ils ne manquent pas de nous dire s'ils sont jeunes, vieux, beaux, cruels, fourbes ou chevaleresques. La B.D. historique s'efforce, avec plus ou moins de bonheur, de restituer ces personnages peu ou mal connus sans faire abstraction de leurs travers. (Voir les documents 4 et 5).

La B.D. d'aventure, un « classique » du genre

C'est l'une des plus riches et des plus nuancées, tant dans sa forme graphique que dans ses scénarii. Les héros sont toujours positifs, les obstacles mis sur leur route sont pour eux – et le lecteur, bien sûr – les meilleurs moyens de progresser. Les histoires ne cachent rien de la réalité des personnages et de leur environnement. Elles essayent souvent de retrouver le lien entre tradition et modernité, de ne pas oublier l'une en s'appropriant l'autre. (Voir les documents 6, 7 et 8).

La B.D. sert ici d'arbre à palabres entre les générations.

Quand la bande dessinée évoque la vie quotidienne

Tout n'est pas rose sous le soleil d'Afrique. Mais l'humour et la revendication sociale y ont tous leurs droits. Hommes, femmes et enfants confondus ont droit à la parole. La B.D. sert ici d'arbre à palabres entre les générations. Qu'il s'agisse d'éducation, de sexualité, de conflits entre hommes et femmes ou entre adolescents, il est rare

6

7

8

6 - RDC
Genre : aventure
« Les aventures de Laty » – La non-violence - Beley (scénario), Fifi Mukuna (dessin)
Un style « ligne claire » un peu caricatural, mais là, il faut montrer et dire les choses telles qu'elles sont. Le dessin et les propos n'édulcorent pas la réalité.

7 - GABON
Genre : humour / aventure
« Le Must », *BD Boom* Hors Série
Yann Patinon, Présumé aveugle
Un style de dessins à la Crumb, mais plus soft dans son objet. Le trait n'est pas léger, le propos non plus. C'est cruel pour tout le monde : femme au cœur sensible, mari protestataire verbal et un faux aveugle qui ne voit pas l'obstacle dans lequel il se cognera. Un sujet "pas de quartier".

8 - FRANCE/CAMEROUN
Genre : vie quotidienne
« Max et Dina », *Planète enfants*,
Sénario : Kidi Bebey, dessin : Christian Cailleaux.
Un style « ligne claire ». Deux enfants, Max et Dina vont à l'école, jouent, se disputent, se réconcilient, découvrent le monde et les adultes. c'est l'apprentissage de la vie avec humour, tendresse, révolte, amitiés.

9

10

11

9 - NIGER
Genre : vie quotidienne / santé
L'illusion du Cigar-café
Textes et dessins de Abdoulwahabou Ibrahim
Un style de dessin sommaire, mai une réelle originalité graphique. I trait stylisé crée une réelle ambiar de pays sahélien. Elle n'est pas sa rappeler par certains détails celle d'Hugo Pratt. Le héros, qui touche la drogue en fumant, se retrouve malade et, sur les conseils d'un médecin et de sa famille, retrouve le droit chemin.

10 - FRANCE/CAMEROUN
Genre : aventure
« Les K-Libres »
Ayoko Mensah (scénario), Simon-Pierre Mbumbo (dessin)
Un autre style « ligne claire » plus léger, pour faire partager les aventures de trois Sénégalais vainqueurs d'un concours de hip-hop. « Les K-Libres », invités à donner des concerts en Afrique et dans le monde en sont empêchés par toutes sortes d'obstacles. Mais humour, tendresse, action sont au rendez-vous pour faire découvrir le monde au lecteur.

11 - GABON
Genre : vie quotidienne / écologie aventure
La merveilleuse aventure de João, Libreville, Ecofac, 1998.
Textes et dessins de Ly-Bek
Une merveilleuse histoire pleine d magie et de bonheur. Un style de dessin limpide et réaliste au servic d'une cause écologique, une préoccupation majeure des jeunes Africains aujourd'hui. Le sujet est peut-être marginal mais la sensibil est bien là.

d'être dans le non-dit. La ligne claire est très souvent de mise, le graphisme se montre parfois caricatural et, dans ce cas, il est utilisé pour rendre la pilule moins amère aux adultes. C'est également une certaine façon de leur montrer et de leur dire « mais non vous n'êtes pas comme ça, quoique »... (Documents 9, 10, 11 et 12).

L'intrigante B.D. fantastique

Il existe assez peu de B.D. fantastique. En règle générale, quand les dessinateurs africains font appel à elle, les héros sont des sortes de compromis, curieux personnages « métissés » issus de la rencontre d'une statuaire africaine avec une créature sortie tout droit des *Marvel comics* américains : à ce choc des cultures, viennent s'ajouter des scénarii souvent confus où le lecteur européen peut percevoir que les auteurs hésitent à traiter d'une façon réaliste ou crédible tous les sujets qui ressortent de la sorcellerie. Or, la plupart des bandes dessinées de ce type se construisent autour de ce seul et même sujet. Bref, on n'y croit pas trop, c'est de la fiction, mais on ne sait jamais... (Document 13).

12 - GABON
Genre : vie quotidienne / humour
Collectif : **Koulou chez les Bantous** – « La cuisine des noix de palme »
Lin Hervé Ezova (scénario), Sophie Endamne (dessin)
Une jeune femme dans l'univers de la B.D. africaine. Un dessin au trait proche du croquis, avec des couleurs aquarellées. Une B.D. originale dans son ton et sa réalisation graphique. L'univers est familier, et plein de douceur. On sent dans ce sujet, en parallèle avec une cuisine à l'européenne, que le choix est plutôt en faveur de la cuisine traditionnelle.

13 - MADAGASCAR
Genre : fantastique
Collectif : Sary Gasy – « Talisman »
Texte et dessins de Mamy Raharolahy
L'intrusion du merveilleux et du fantastique dans une B.D. réaliste. Ici un trait fouillé, ombré et lumière sont travaillés à l'extrême. On peut y observer le mouvement des personnages, le réalisme des situations, la justesse du trait et de la mise en scène et le souci du détail vrai. On n'est pas loin des images de Victor de la Fuente. Ici, c'est un « fantôme », ami du fils de la reine Ranavalona 1ère de Madagascar, qui, aidé d'un talisman – l'Étoile de David – aidera à déjouer complots et malversations des grands personnages du royaume de Madagascar au profit de la reine.

La B.D. d'humour au service du succès et de la diversité

C'est un genre universel en Afrique. Cela va du dessin purement politique à l'intention des adultes, jusqu'au petit comique pour adolescents. Les jeunes enfants sont peu visés par le genre. Tous les styles graphiques possibles s'illustrent dans ce registre. Les arrière-plans des images sont souvent riches en détails pour mieux situer l'action dans son contexte, et le trait est efficace. Les sujets aussi variés que ce qui peut faire rire tous les jours.

Tous les styles graphiques possibles s'illustrent dans ce registre.

L'humour a cette capacité de pouvoir s'insérer dans tous les autres registres et permettre, par exemple, de dédramatiser une histoire trop grave, parce que trop réaliste, traitant de problèmes de la vie quotidienne. La dimension pédagogique initiale peut alors prendre des accents de satire sociale, ce qui n'est pas moins riche d'enseignement. Un exemple pris parmi tant d'autres et qui nous permet d'entrevoir le fait qu'en matière de bande dessinée, la création, favorisée par de tels rapports Nord-Sud, se situe bien au-delà du choc des cultures, ce qui lui procure un caractère infini. Et la diversité des styles graphiques, qu'ils viennent d'ici ou d'ailleurs, associée à cette créativité foisonnante, constitue, à part entière, un étonnant... coup de crayon.

Jean-Louis COUTURIER

La création dans la B.D. au Sud : ébullition et précarité

Sébastien Langevin

La tradition franco-belge de l'album cartonné n'est pas de mise en Afrique noire. Un peu partout sur le continent, la bande dessinée est utilisée comme média de communication. La plupart du temps, elle se glisse, transformée en dessin de presse, dans les journaux pour apporter une pointe d'humour ou un regard décalé sur l'actualité. En de plus rares endroits, des fascicules circulent, des albums sortent, des revues spécialisées paraissent, publications souvent éphémères témoignant d'une volonté toujours renouvelée de s'exprimer par la B.D.

Pourtant, la littérature sur le sujet est quasi inexistante. Un recensement méthodique des publications et un archivage regroupant les occurrences d'un mode d'expression souple et réactif, accessible à tous, fait encore défaut. D'où la difficulté de faire le point sur l'état de la création en Afrique sub-saharienne et dans l'océan Indien. En regardant la carte de la bande dessinée africaine, on peut néanmoins repérer certains pôles qui marquent un réel attachement à cette tradition, régulièrement alimenté par des publications et des événements. Nous en indiquerons ici quatre, issus de l'espace francophone.

SÉBASTIEN LANGEVIN

Après des études de lettres, de linguistique et de journalisme, Sébastien Langevin travaille à la rédaction du *Français dans le monde*, revue destinée aux professeurs de français langue étrangère du monde entier. Journaliste spécialisé en éducation, il est également critique de bandes dessinées. Après avoir codirigé le magazine *Bachi-Bouzouk* et coordonné la partie rédactionnelle du site Internet BDnet.com, il est désormais journaliste indépendant et collabore régulièrement au magazine *Phosphore* ainsi qu'aux publications de l'ONISEP. Il a coordonné un dossier consacré à la bande dessinée d'Afrique sub-saharienne, pour la revue *Africultures*. Dans le cadre de l'association "Omar le-Chéri" il donne régulièrement depuis deux ans des formations à l'écriture journalistique.

Kinshasa la dynamique

Serait-ce l'influence de la Belgique, illustre terre de bandes dessinées ? Ou la présence d'une Académie des Beaux-Arts particulièrement prolifique ? Toujours est-il que Kinshasa, capitale de la République démocratique du Congo, est certainement le lieu où règne la plus fervente ébullition autour de la bande dessinée. Depuis la fameuse revue *Jeunes pour jeunes*, la bande dessinée connaît un succès populaire qui a permis à des dizaines d'auteurs de s'exprimer. Nourrie de cultures urbaines, du brassage des religions et de « *kinoiseries* » (ces informations que l'on ne trouve pas dans les quotidiens), une bande dessinée bon marché a su trouver son public. Par exemple, Apolosa, de Simon Lukumbo, est un héros populaire que les Kinois n'ont toujours pas oublié, et le dessinateur Mfumu'Eto diffuse coûte que coûte ses hebdomadaires de B.D. en lingala. Un dessin rapidement jeté sur du papier de mauvaise qualité, des visions quasi mystiques qui mettent en scène des personnages familiers issus de la politique locale, du monde du spectacle ou de la rue kinoise : les B.D. de Mfumu'Eto sont un concentré de vie mis en cases. Ainsi, à la mort de Mobutu, il signe une série de portraits du « Guide éclairé » en enfer ... « *Tous ces phantasmes jubilatoires et qui ont valeur d'exorcisme démontrent sans équivoque combien la B.D. populaire, ainsi que l'appellent eux-mêmes certains de ses auteurs, reste constamment en phase avec les espoirs et les peurs d'une société profondément meurtrie mais qui ne renonce pas aux biens qui lui restent : la verve, l'ironie, l'onirique* »[1], explique Jean-Pierre Jacquemin à propos de la B.D. en République démocratique du Congo.

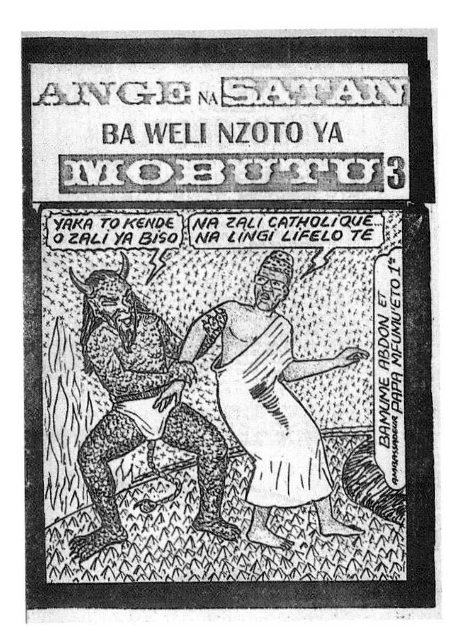

RDC
Mfumu'Eto

À côté de cette bande dessinée populaire, les auteurs kinois se sont regroupés en une association dynamique, l'Acria (Atelier de création, recherche et initiation à l'art). Créée par Barly Baruti, l'Acria a organisé en 1991 le premier salon africain de la bande dessinée et de la lecture pour la jeunesse. La troisième édition de ce salon s'est déroulée à Kinshasa du 20 septembre au 8 octobre 2000. Pendant cet événement, qui a réuni une quinzaine d'auteurs africains, le « *colloque sur la bande dessinée africaine, son discours et ses problèmes* » a porté un regard universitaire sur cette culture populaire qui peu à peu gagne ses lettres de noblesse. Toujours à l'occasion de ce troisième salon, l'Acria a présenté sa dernière publication, le magazine *Africanissimo*, où l'on peut lire les bandes dessinées de Tembo Kash, Zebola, Fifi Mukuna, Hallain Paluku, Kaddy et Dady. Ils réalisent là des fictions réalistes ou humoristiques, dans des styles graphiques très variés, où la qualité est toujours au rendez-vous. La nouvelle garde des bédéistes congolais est en marche !

Abidjan ou le phénomène *Gbich !*

La bande dessinée ivoirienne a le vent en poupe ! Si *Ivoire-Dimanche* a longtemps publié des dessins humoristiques et des histoires en bande dessinée, c'est l'hebdomadaire *Gbich !* qui est désormais le principal représentant du genre en Côte-d'Ivoire. Chaque semaine, ses 40 000 exemplaires régalent ses lecteurs d'une actualité traitée en bande dessinée à travers les aventures de personnages récurrents comme Cauphy Gombo, Gazou ou Tommy Lapoasse. Le magazine se place résolument dans la veine humoristique, recyclant les expressions à la mode et les situations vues dans la rue abidjanaise, mettant en relief les interrogations quotidiennes de tout un peuple. Grâce à ce ton léger et à une parfaite maîtrise graphique, *Gbich !* connaît un réel engouement à Abidjan et dans tout le pays. Là aussi, les dessinateurs de bande dessinée ont fondé une association, "Tache d'encre", dont la plupart des membres collaborent à *Gbich !*. Pour preuve de son dynamisme, "Tache d'encre" organise le premier festival du dessin de presse et de bande dessinée de Côte-d'Ivoire en novembre 2001. (Sur ce sujet, voir les articles de Fabrice Dauvillier et Michelle Dupéré dans ce même numéro).

Résolument dans la veine humoristique.

1. *V. article intitulé « BD ya Kongo » in* Défis Sud, *n° 42, juin-juillet 2000, p. 20.*

GABON
BD Boom Explose la capote !

À Libreville, une B.D. en voie de reconnaissance ?

Autre point sensible de la création de bande dessinée en Afrique, Libreville tarde, semble-t-il, à tenir toutes ses promesses. Alors que, depuis les années 1970, la presse générale a fait connaître des auteurs comme Hans Kwaital alias Laurent Levigot, que quelques magazines spécialisés comme *Cocotier* sont parus, on pouvait penser que la B.D. allait réellement prendre son essor au Gabon grâce à l'association BD Boom. Soutenue par le Centre Culturel Français, BD Boom publie depuis 1997 un magazine du même nom. Dans la foulée, les premières Journées Africaines de la Bande Dessinée (JABD) sont organisées en 1998, festival prolongé par une deuxième édition plus ambitieuse l'année suivante. Lors des deuxièmes JABD, une vingtaine d'auteurs du Togo, du Burundi, de Centrafrique, du Cameroun, du Bénin mais aussi du Sénégal, de Côte-d'Ivoire ou de RDC rencontrent des auteurs européens comme P'tiluc, Desorgher, Ferrandez ou Loustal. Le septième numéro du magazine *BD Boom* paraît à cette occasion, mais c'est le dernier en date. Promises en décembre 2000, les troisièmes JABD n'ont pas eu lieu. L'aventure gabonaise n'est certainement pas terminée, mais on peut déceler dans ce manque de continuité un certain décalage entre des actions de grande envergure soutenues par des institutions et l'absence d'un réel public local. La B.D. gabonaise n'a pas su descendre dans la rue pour trouver son lectorat : une fois les subventions taries, de nombreux dessinateurs ont dû poser les crayons. Cette période faste aura néanmoins révélé de bons auteurs comme Pahé et ses *strips* proches du graphisme et de l'esprit de Reiser, Ly-Bek, qui a réalisé de nombreux albums pédagogiques, ou Joël Moundounga, qui continuent à produire dans la presse.

L'aventure gabonaise n'est certainement pa terminée.

Dans l'océan Indien, une B.D. à plusieurs vitesses

L'île de la Réunion et Madagascar ont une profonde culture de la bande dessinée, même si la situation diffère beaucoup entre ces deux îles. La Réunion est ainsi dotée d'un magazine qui paraît régulièrement,

Le Margouillat, et d'une maison d'édition, les éditions du Centre du monde. (Voir les articles de Jacques Tramson dans ce même numéro). Certains de ses auteurs comme Li-An ou Tehem sont également publiés par de grands éditeurs métropolitains. En revanche, à Madagascar, un grand nombre d'auteurs talentueux de bande dessinée ne publient pas ou très peu. En 1983, le premier colloque en Afrique sur la B.D. se déroule pourtant à Antananarive, organisé par le magazine *Fararano-Gazety*, désormais disparu. Dans les années suivantes, diverses institutions comme le Centre Culturel Français ou le Centre Germano-Malagasy organisent des expositions et des manifestations et permettent aux auteurs de B.D. malgaches de se former et d'acquérir de réelles compétences. Mais depuis, l'édition ne suit pas, et seuls les dessinateurs de presse comme Élisé Ranarivelo ou Aimé Razafy tirent vraiment leur épingle du jeu. Malgré de nombreuses associations de dessinateurs comme A Mi (Artista mioray), Soimanga, Abedema, les excellentes planches de Jean de Dieu Rakotosolofo ou de Didier Radriamanantena restent dans les cartons à dessin.

MADAGASCAR
Jean de Dieu Rakotosolofo

Et aussi...

Dans d'autres pays, comme le Bénin, le Sénégal, la République centrafricaine ou le Cameroun, des bandes dessinées circulent également. Mais les auteurs y sont en général isolés et les efforts plus dispersés. Depuis une vingtaine d'années, la bande dessinée francophone du Sud bénéficie d'une reconnaissance certaine, et l'implication des pouvoirs publics et des organismes de coopération a permis une réelle progression, tant qualitative que quantitative, de la création. Désormais, pour mieux défendre leurs intérêts et gagner un statut à part entière, les auteurs de bande dessinée se regroupent en associations. Des associations qui permettent des formations, des expositions, des parutions. Elles organisent des festivals qui facilitent l'émergence d'un réseau de dessinateurs africains. L'union fait la force, et ainsi partager les expériences ne peut être que positif. Néanmoins, si l'on regarde les exemples de Libreville ou d'Antananarive, les efforts de formation et l'émergence d'une génération de dessinateurs ne sont pas les garants d'une production sur le long terme, faute d'un lectorat populaire. Seuls ne résistent vraiment à l'épreuve du temps que les publications qui peuvent s'appuyer sur un large public. Nombre d'auteurs de bande dessinée ne survivent qu'en multipliant leurs activités par le dessin de presse, la publicité ou la communication. La bande dessinée est pourtant une activité bien spécifique, où création devrait rimer avec professionnalisation.

Depuis une vingtaine d'années, la bande dessinée francophone du Sud bénéficie d'une reconnaissance certaine.

Sébastien LANGEVIN

La diversité des styles graphiques dans la B.D. de l'océan Indien

Jacques Tramson

Dans les années 1970, les rares premières B.D. de l'océan Indien ne permettaient pas de définir un style : comment associer le graphisme du mauricien Rafik Gulbul, adaptant en créole La République des animaux **d'Orwell, celui du réunionnais Marc Blancher, dans les aventures humoristiques de « Gaspard », ou celui de l'Hexagonal Michel Faure, vivant depuis déjà plus de dix ans dans la région et publiant, à la Réunion, l'épopée maritime du pirate « La Buse ». Le premier récit, dans un registre de parodie animalière, se tenait également éloigné du modèle disneyen et de celui de l'école belge, par la sécheresse d'un trait – sans doute à l'encre de Chine – «anthropomorphisant» à peine les animaux et traitant les hommes dans une stylisation à peine caricaturale. Le second, franchement caricatural, lui, n'était pas sans évoquer – en moins bien dominé – le style de Gotlib de *Fluide Glacial*.**

Quant à Faure, sa technique de gouache nourrissant un trait oscillant entre réalisme, particulièrement au niveau des décors, et stylisation pour les personnages, semblait n'emprunter à aucun courant dominant de la B.D. internationale.

Mais, aujourd'hui que la production de bande dessinée de l'océan Indien représente une masse susceptible de soutenir une analyse synthétique, peut-on déterminer des tendances générales ? Y a-t-il des influences significatives décelables ? Est-il possible de parler d'une école « îlienne » de la B.D. comme on parle d'une école franco-belge, d'une nouvelle ligne claire, etc. ?

Des influences multiculturelles

Déjà, à propos de Blancher, nous évoquions Gotlib et *Fluide Glacial* : il est évident que l'observation du *Cri du Margouillat*, particulièrement à ses débuts, manifeste un parrainage évident de celui-là à celui-ci. L'éditorial du numéro 1 est entouré d'une frise éminemment gotlibéenne, par son esthétique *« anamorphique »*, selon l'étude de Jean Maiffredy en 1977, empruntant même des personnages à la série «Hamster Jovial», publiée à

1. *« Rubrique À Brac »*.

partir de 1971 dans *Rock and Folk*. Le rédactionnel de ce numéro 1 proposait « *La Rubrique à Bac ou pas Bac* », de J.-P. Hudé, évidemment inspirée de la *R.A.B.*[1] dudit Gotlib dont la signature accompagnait même celle de Huo-Chao-Si pour une planche de gag emprunté à la veine de l'humoriste hexagonal. D'ailleurs, l'ensemble de la revue, sans se limiter au ton propre de *Fluide Glacial*, s'inscrivait dans le prolongement des publications B.D. pour adolescents et adultes, caractéristiques des années 1970-1980 en Europe. Mais c'est plus l'esprit que le graphisme de ces productions qui caractérisait le *Cri du Margouillat* (*C.d.M.*) comme bien des fanzines de l'époque.

Le prolongement des publications B.D. pour adolescents et adultes, caractéristiques des années 1970-1980.

Toutefois quelques noms importants de l'école française, issue en particulier de *Pilote*, comme Moebius, semblent avoir marqué les débuts de certains dessinateurs réunionnais et non des moindres : ainsi, le tracé encré nerveux, enrichi souvent de pointillisme, qui caractérisait **Major Fatal**, publié en 1979 aux Humanoïdes Associés, se retrouve dans «Utopia» de Mad, dès le numéro 1 du *C.d.M.*, mais surtout dans «Funny Girl» de Li-An, publié à partir du numéro 16 de la revue avant d'être repris en album par Delcourt, sous le titre **Planète Lointaine**, en 1998. Occasionnellement, Vélia, dans «Fortune» [2], semble manifester la même influence.

Après avoir tâté de la caricature gotlibéenne, comme en témoigne « Il était une fois »[3], Serge Huo-Chao-Si trouve sa voie dans une perversion de la représentation marquée par l'élargissement du trait et le caractère magmatique de la couleur, qui n'est pas sans évoquer Vuillemin, dans « Albert Noël », « Sandryon » et autre « Titanik Pride », pré-publiés dans le *C.d.M.* avant de sortir sous le titre de **Cases en Tôle**, aux éditions du Centre du Monde en 1999.

L'élargissement du trait et le caractère magmatique de la couleur.

Peut-on parler d'influence à propos de Flo – Florence Vandermeersch ? Certes ses regards critiques sur la société b.c.b.g. réunionnaise... et les autres font souvent penser par l'acidité à la Claire Bretécher des débuts des *Frustrés* avec ses récits en une planche au graphisme simplifié et se préoccupant peu de l'illusion du mouvement ; toutefois, Flo tend moins à la caricature qu'à la stylisation et, jusque dans son usage de la couleur, elle a une préoccupation esthétique – esthétisante ? – qui ne caractérise guère Bretécher.

Ce n'est plus du côté de l'Europe mais du Japon qu'il faut chercher le modèle de David Bello, révélé par les stages de l'association Band'Décidée, édité dans le *C.d.M.* et, grâce à un Projet J, patronné par la Direction de la Jeunesse et des Sports de la Réunion, voyant publier par Clip/ARS Terres Créoles son premier album, **Elize ou les Machins Bleus** en 1994. Tous ses sujets sont réunionnais, situés à Saint-Denis ou dans les alentours : mais le profil de ses personnages, coiffures hirsutes à la Dragon Ball – un de ses premiers récits s'intitule d'ailleurs « *D.B.Z* » (« Dragon Ball Z » du titre de la série télévisée) –, la technique dite « des grands yeux » et jusqu'à une manière de décomposer le mouvement en plusieurs vignettes consécutives, au lieu d'utiliser l'effet Marey traditionnel dans la B.D. occidentale, manifestent l'influence des *mangas*.

---

2. Voir Le Cri du Margouillat, *n° 17, 4e trimestre 1995.*

3. in C.d.M. *n° 9, juillet 1992.*

Le jeu des influences

1 - «Fortune», Vélia, *CdM* n° 17 **2** - «Funny Girl», Li-An, *CdM* n° 19 **3** - «Il était une fois», Huo-Chao-Si, *CdM* n° 9 **4** - «Sandryon», Huo-Chao-Si, Appollo, Ampa, *CdM* n° 24 **5** - «Vive le foot», Flo, *CdM* n° 26 **6** - «BD2», Bello, *CdM* n° 13

1 2 3 4 5 6

Les inclassables

7 - Le Solitaire, Grégoire, *CdM* n° 25 **8** - Sans témoins, B.G.M., *CdM* n° 18 **9** - Korba, Séné, *CdM* n° 5

7

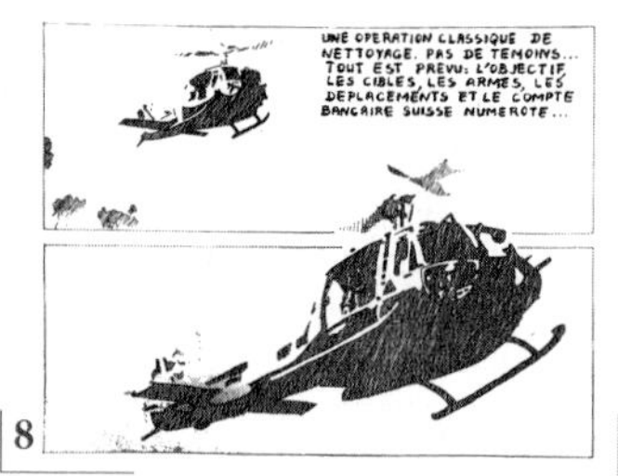

8

9

Les cas particuliers

Mais des créateurs se singularisent, soit par l'originalité de leur production, soit par la variété de celle-ci.

Des créateurs se singularisent, soit par l'originalité de leur production, soit par la variété de celle-ci.

Ainsi, Grégoire, en trois années consécutives, propose une palette extrêmement variée. En 1995, dans le numéro 15 du *C.d.M.*, « Ipso Facto » propose une pochade humoristique traitée dans un registre caricatural très « léché » qui fait penser au style de « Wizard of Id », de l'Américain Brant Parker ; dans le numéro 19 de 1996, « Incarnation » est un récit d'aventures à la chute humoristique, mais dont le dessin en noir et blanc, exploitant les contrastes ombre et lumière, alternant les grands aplats noirs et le jeu des grisés hachurés, évoque, dans un trait un peu plus gras, la dramaturgie graphique d'Hugo Pratt. En 1997 enfin, dans le numéro 25, « Le Solitaire », récit commençant à la limite de la caricature, évolue vers une issue tragique, en même temps que le graphisme se modifie subtilement, la dernière planche n'étant pas sans faire penser à la puissance, dans la couleur et le mouvement, de certaines images du Bourgeon des « Passagers du vent ».

D'un autre point de vue, des créateurs comme B.G.M., Bertrand, Boby ou Séné affichent des techniques originales : le plus frappant est sans doute B.G.M. qui propose des réflexions sombres sur la vie, la guerre, la mort, à l'aide d'une technique uniquement faite de hachurage en noir et blanc, évacuant les traits qui, normalement, délimitent les formes[4]. De même, dans «Hanz et Bill», Bertrand use d'un graphisme expérimental, proche de l'abstraction. Quant aux deux autres, leur caricature frôle le fantastique par une volonté délibérée d'évacuer la ressemblance au profit de l'expressivité.

Mais certains, en jouant l'originalité, réussissent à créer de véritables styles.

Certains, en jouant l'originalité, réussissent à créer de véritables styles.

Des tendances individuelles aux styles locaux

Lorsque Tehem raconte poétiquement la Réunion à travers des histoires humoristiques comme « Cilaos »[5] ou lyriquement animalières comme « Bon Voyage, M. Gruchet »[6], son travail sur la couleur et la stylisation, toujours en deçà de la caricature, donnent une tonalité originale à ces aventures du quotidien qui sont aussi de jolies descriptions de nature.

Ce même Tehem, avec « Tiburce », et Li-An avec « La Ti Do », pour la Réunion, mettent en place un style, plus proche de l'épure que de la caricature, qu'on retrouve dans «Bao» du Mahorais Vincent Liétar ou chez les Mauriciens Deven, et sa série «Hector», et Marc Randabel : des récits courts de deux *strips* à une planche, tantôt en créole, tantôt en français,

4. *Voir «Sans Témoins», publié dans le* C.d.M. *n° 18.*

5. *Voir* C.d.M. *n° 18, 1er trimestre 1996.*

6. *Voir* C.d.M. *n° 25, 4e trimestre 1997*

Les grandes tendances de l'océan Indien : de l'esthétique du trait à la nouvelle *ligne crade*.

10 - **Tiburce**, Téhem, vol. 2, Ed. Centre du Monde, 1998 **11** - «Hector», T. Déven, *CdM* n° 11 **12** - «Bao», Vincent Lutard, *CdM* n° 9
13 - «Même pas mal», Moniri, *CdM* n° 16 **14** - Sans titre, Rado, *CdM* n° 9 **15** - «Botity et la flûte magique», Roddy, *CdM* n° 6
16 - **Fol Amour**, XHI et M'AA, 1° plat de couverture, Ed. Grand Océan, Analakely, Madagascar, 1997 **17** - «Retour d'Afrique», Anselme, *CdM* n° 18

10

11

12

13

14

15

16

17

traitant de manière humoristique des événements de tous les jours, dans un graphisme noir et blanc finement traité à la plume, que le Réunionnais Hobopok, dans **Le Temps Béni des Colonies**, rend encore plus grinçant en évacuant tout décor pour ne conserver que les personnages. Le Malgache Roddy utilise ce même graphisme, mais pour tirer de cette finesse du trait non l'alacrité ironique des autres, mais un esthétisme sobre en conformité avec la tonalité poétiquement familière d'un conte comme **Botity et la flûte magique**[7].

C'est du côté de Madagascar qu'on rencontre un style véritablement original : un trait épais mais qui pour autant ne cerne pas d'une manière précise ce qu'il entoure, un goût pour des détails encombrant délibérément la vignette, allant parfois jusqu'à une certaine confusion ; le tout assombri par un travail d'aplats sombres et de hachures parfois grossières, créant une impression charbonneuse. Il suffit de feuilleter **Fol Amour**, de Xhi et M'Aa, publié en 1997 aux éditions Grand Océan. On est là dans une esthétique proche de certaines formes du graphisme d'Afrique noire : le plus célèbre album d'Anselme, publié en 1999 par les éditions du Centre du Monde, ne s'intitule-t-il pas **Retour d'Afrique** ? Des auteurs comme Aimé Razafy, Rado, Ndrematoa confirment cette « couleur » malgache. Mais les Réunionnais Samuel Bidois, Benoît Vieillard ou Tolliam – on se souvient de son crépusculaire «Nie-Lang», dans le n° 25 du *C.d.M.* –, tout comme le Mahorais Moniri, dans son fantaisiste **Little Momo** ou son lugubre **Même pas mal**, manifestent aussi leur aptitude à arborer ce style. Lorsque la couleur s'en mêle, la dimension charbonneuse fait place à une débauche de tons crus : mais le trait noir restant toujours présent, subsiste une certaine impression de surcharge qui se prête souvent à la dimension critique des récits : en témoignent telles images de **Retour d'Afrique** mais aussi celles plus anciennes de «Télé», dans le n° 2 du *C.d.M.*, dessinées par le Réunionnais Dom-Dom.

Comme partout ailleurs, les B.D. de l'océan Indien témoignent des influences des grands courants modernes du genre, d'Europe et d'Asie : on remarque toutefois l'absence de l'école belge, peut-être trop marquée par son image jeunesse, alors que la production qui nous intéresse vise les grands adolescents et adultes. Mais on a aussi noté que des spécificités marquent quelques traits propres à la région. La proximité de l'Afrique justifie cette tonalité proche de la « ligne crade » française : mais celle-ci n'est-elle pas issue de la même origine ? Un de ses créateurs avec le personnage de Kebra, Jano n'est-il pas réputé pour sa connaissance de l'Afrique ? Et n'est-il pas intéressant que, à la Réunion, à Maurice, à Mayotte, la satire du quotidien s'inscrive dans un même style graphique qui n'emprunte pas à celui, plus répandu dans l'Hexagone, que véhicule *Fluide Glacial* ?

En constatant la richesse des B.D. de cette région, souhaitons qu'organes de presse et éditeurs d'albums puissent surmonter leurs difficultés pour faire connaître au reste du monde cette attrayante diversité.

Jacques TRAMSON
Université Paris XIII - Villetaneuse

7. *In* C.d.M. *n° 6*.

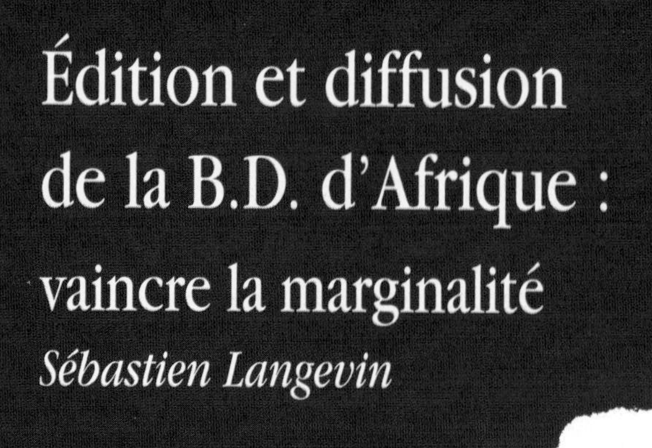

Édition et diffusion de la B.D. d'Afrique : vaincre la marginalité

Sébastien Langevin

Le manque d'auteurs n'est certainement pas la cause du petit nombre de bandes dessinées produites en Afrique subsaharienne. A l'autre bout de la chaîne, les consommateurs-lecteurs, même s'ils n'ont pas un important pouvoir d'achat, trouvent les ressources pour acheter des bandes dessinées lorsqu'elles existent, à condition que le contenu leur convienne, et que le contenant soit proposé à un prix abordable. La rareté des productions n'est pas due à un déficit créatif, mais bien aux difficultés rencontrées pour transformer une œuvre originale en un produit commercial. Il apparaît donc clairement que l'édition est le maillon faible, voir manquant, de la chaîne qui devrait permettre aux auteurs de B.D. de trouver leur public.

Mfumu'Eto

En dépit de son faible coût, malgré sa grande accessibilité à tous les types de population, et même si elle est largement appréciée, la bande dessinée d'Afrique sub-saharienne n'a pas trouvé son équilibre économique. Très peu d'auteurs de bande dessinée vivent de leur art en Afrique. Pourtant, la bande dessinée est un produit culturel peu onéreux à produire. Il suffit de comparer le coût de production d'une œuvre cinématographique et celui d'un album de bande dessinée pour s'en convaincre. Les acteurs d'une B.D. ne demandent pas de gros cachets, les auteurs sont leurs propre ingénieurs du son, et ils fabriquent eux-mêmes leurs décors... Du côté de la réception, là encore, aucun investissement préalable n'est indispensable, contrairement à la musique qui nécessite un appareil pour écouter cassettes ou CD. Le prix d'une bande dessinée doit principalement permettre de rémunérer son ou ses auteurs, son éditeur, son imprimeur et son diffuseur. Comme les exemples de réussite du domaine le montrent, c'est certainement du côté de la presse qu'il faut chercher un modèle économique pertinent pour la bande dessinée.

Un produit culturel peu onéreux à produire.

Ainsi, l'hebdomadaire de bandes dessinées *Gbich !*, en Côte-d'Ivoire, est désormais diffusé chaque semaine à 40 000 exemplaires, pour un taux d'invendus négligeable. La qualité de ses auteurs, la régularité de sa parution, et son prix peu élevé (300 FCFA) lui ont permis de conquérir un public fidèle, et ainsi de pérenniser sa publication. Arrivé à cette diffusion, *Gbich !* attire les annonceurs qui apportent un complément financier à la vente des numéros. Et même si les responsables du journal ne semblent pas satisfaits de la distribution de leur hebdomadaire, celle-ci bénéficie du réseau d'Edipresse qui lui assure une bonne visibilité dans les kiosques à journaux de tout le pays. Et une fois retournés, les invendus connaissent une seconde vie dans les points de vente parallèles. La bonne santé de *Gbich !* démontre qu'une bonne publication sainement gérée peut survivre et se développer, même dans un contexte hostile.

Une bonne publication sainement gérée peut survivre et se développer, même dans un contexte hostile.

La réussite de Mfumu'Eto à Kinshasa, en RDC, est encore différente. On est là dans une production artisanale : un auteur unique dessine et écrit ses périodiques, assisté d'un agent qui s'occupe de la partie commerciale de l'activité. Il s'agit de micro-édition, voire d'"ego-édition", entièrement tournée vers un but : une production bon marché, à la portée de toutes les bourses kinoises. Le papier est d'une qualité plus médiocre que celui des quotidiens, l'impression ne donne pas une visibilité parfaite, et la distribution emprunte les réseaux informels, mais Mfumu'Eto est lu, connu et reconnu à Kinshasa et son activité de peintre lui permet de vivre de son travail de dessinateur.

Pour une action publique sur le long terme

En revanche, plusieurs éditeurs établis (Afrique Éditions à Kinshasa, les Nouvelles Éditions Ivoiriennes à Abidjan...) ont tenté de publier des albums de bande dessinée selon le modèle européen. Toutes ont abandonné, faute de bons résultats de vente. La plupart des albums de bande dessinée produits en Afrique en ce moment sont en fait des albums pédagogiques, subventionnés, et donc gratuits. La prévention contre le sida, la protection des tortues, l'interdiction de l'excision dans certains pays sont ainsi relayées par la bande dessinée. Une question se pose toutefois : ces bandes dessinées sont-elles réellement adaptées à leur lectorat ? Par exemple, une bande dessinée destinée à des pêcheurs malgaches comportait d'énormes bulles de texte, alors que la grande majorité de ces pêcheurs est illettrée...

Ces bandes dessinées sont-elles réellement adaptées à leur lectorat ?

Même s'ils ont permis de détecter de nombreux auteurs, de les former et de leur faire produire leurs premières œuvres, les programmes de coopération initiés par les pays du Nord ne parviennent pas toujours à pérenniser la production de bandes dessinées. Se focaliser sur les créateurs n'est qu'une première étape pour permettre l'émergence de la B.D. africaine. Après l'artistique, il faudrait désormais se soucier de l'économique.

Lors des deuxièmes journées africaines de la bande dessinée de Libreville, un intervenant appelait de ses vœux la création *« d'une agence inter-africaine de la bande dessinée »*. Pourquoi pas ? Alors que les diverses actions publiques en faveur de la bande dessinée africaine ont pour l'instant été ponctuelles et isolées géographiquement, il s'agirait de mettre en place une superstructure agissant sur le long terme.

Bien sûr, la formation des auteurs doit rester une priorité, mais il faudrait l'assurer avec plus de rigueur, former des formateurs qui agiraient dans leur pays. Surtout, il est désormais stratégiquement indispensable de former des éditeurs, des chefs de fabrication, des logisticiens qui cherchent à produire et à acheminer au moindre coût (prix du papier, de l'imprimerie, du transport...). L'éditeur spécialisé est la clé de voûte d'un système économique sain. Son objectif principal étant de faire des bénéfices pour survivre, il doit avoir une bonne connaissance du produit, de son cycle de vie, de sa promotion. Il choisit les œuvres à publier, les suscite au besoin, et rémunère l'artiste. Il définit également les caractéristiques d'un produit (haut de gamme ou non, par exemple) et ses stratégies de pénétration.

• **Monsieur Zézé, ça gaze bien bon !**, Achka.
• **L'ombre de boy Melkah,** Les Nouvelles Éditions Africaines du Sénégal.
• **La voiture, c'est l'aventure !,** Afrique Éditions.
• **Cap sur Tombouctou**, les Nouvelles Éditions Ivoiriennes

Il doit enfin identifier les acheteurs potentiels, leur faire connaître l'existence du produit, le mettre à leur disposition au prix voulu, à la période voulue, puis fidéliser un lectorat, ce qui suppose une régularité de production[1].

Une agence inter-africaine de la bande dessinée pourrait également donner un coup de pouce financier aux initiatives locales, sous forme de prêts ou de subventions. Elle pourrait organiser un festival itinérant de la bande dessinée africaine, comme le suggère Barly Baruti, manifestation qui, chaque année ou tous les deux ans, se déplacerait dans une ville du continent où la B.D. a une réelle signification et de vrais enjeux.

Transformer l'artisanat et l'amateurisme actuels en une véritable industrie culturelle de masse.

En s'inspirant des réussites avérées comme *Gbich !*, en faisant émerger des compétences spécialisées, en concevant un système global de formation, d'édition et de diffusion, une telle agence permettrait certainement à la B.D. de progresser sur le continent. Cette coopération, à la fois culturelle et économique, à la croisée des expériences du Nord et du Sud, pourrait permettre le développement durable de la B.D. africaine, et ainsi transformer l'artisanat et l'amateurisme actuels en une véritable industrie culturelle de masse.

Sébastien LANGEVIN

1. Ces missions de l'éditeur sont empruntées à la communication du professeur Budim'Bani Yambu « Les problèmes de l'édition et de la diffusion de la bande dessinée africaine », lors du colloque « La bande dessinée africaine, son discours et ses problèmes », à Kinshasa, le 22 septembre 2000.

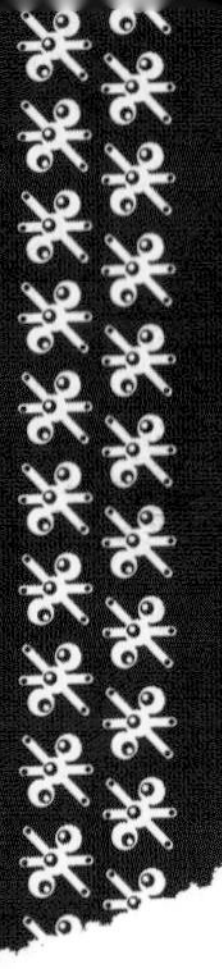

Émergence de la bande dessinée africaine

Hilaire Mbiye Lumbala

Comparativement à la bande dessinée occidentale, celle de l'Afrique peut paraître encore jeune. Cette jeunesse n'exclut pas une réelle vitalité qui inscrit ce domaine dans l'ensemble bien plus large de la création artistique et littéraire comprenant, notamment, la peinture, la sculpture, l'architecture, la littérature, la musique, le cinéma, la peinture populaire, la couture et la photographie.

La presse écrite, les revues et magazines de la B.D. ainsi que les maisons d'édition ont grandement contribué à l'essor de la B.D. africaine, comme nous l'examinerons plus loin. Faute de présenter une histoire complète de cette B.D. venue du Sud, le présent article se propose d'en étudier ses contextes d'émergence et d'éclosion ainsi que ce que l'on pourrait déjà considérer comme faisant partie de ses acquis.

Quotidiens et hebdomadaires

La presse a servi d'espace de publication ou de pré-publication à bon nombre de dessinateurs. Toutes proportions gardées, la découverte de la B.D. est liée à l'intérêt que la presse locale lui a accordé : qu'il s'agisse de la presse quotidienne au Burkina Faso, en Côte-d'Ivoire, au Gabon ou à Madagascar ; de la presse hebdomadaire au Congo démocratique ; ou enfin de la presse mensuelle et des magazines de B.D. comme en Centrafrique et au Congo démocratique.

La découverte de la B.D. est liée à l'intérêt que la presse locale lui a accordé.

Au Burkina Faso, c'est grâce à la presse écrite tant privée que gouvernementale que la B.D. s'est développée et ouverte au grand public. En 1980, *L'Observateur*, un quotidien privé, a publié quelques illustrations ; et *Sidwaya*, quotidien gouvernemental, a distrait ses lecteurs avec quelques épisodes de « Maître Kanon ». C'est surtout *L'Intrus*, hebdomadaire institutionnel, qui a donné à la bande dessinée ses lettres de noblesse. Deux noms, parmi les plus connus, Anatole Kiba et Raya Sawadogo, se sont d'abord exercés dans *L'Observateur* où ils ont publié quelques illustrations et caricatures. Anatole Kiba va collaborer à *Sidwaya* où il publie par épisodes, « Maître Kanon ». De son côté, Raya Sawadogo quitte les journaux pour publier, à compte d'auteur, « Yirmoaga », sous forme de petits livrets[1].

1. *Les titres suivants ont été publiés :* **Yirmoaga au petit coin, L'homme trompair, Opital, Le salaire vital, Loyer 86 cado ou pas cado, Yirmoaga aux IPR.** *Comme les titres le montrent, ces récits sont en français populaire, français moussa parlé dans la rue.*

En Côte-d'Ivoire, l'émergence de la B.D. remonte aux années 1970 avec la création de l'hebdomadaire *Ivoire-Dimanche*. Celui-ci a lancé dans les rues ivoiriennes quelques personnages dont les célèbres Dago et Monsieur Zézé[2]. « Dago » est l'œuvre de Maïga (dessins) et d'Appolos (textes) et a été publié sous forme d'album, en 1977, par Inter Afrique Press. Quant à « Monsieur Zézé », c'est une création de Lacombe, sortie en album aux éditions Achka à Libreville[3]. À son tour *Fraternité Matin* a repris le flambeau en publiant, dans sa rubrique *« Sourire du jour »*, quelques vignettes signées par Jess Sah Bi, Pépé et Soumaila. Le même Jess Sah Bi a réuni ses meilleures vignettes dans un album intitulé **Imbécile et heureux**.

Au Gabon, les premières tentatives de B.D. ont vu le jour dans la presse locale, notamment avec le quotidien *L'Union* qui, dès 1976, a commencé à publier quelques B.D. à suivre. *L'Union* a fait connaître des dessinateurs comme Hans Kwaaitaal, alias Achka, et Richard Amvame, alias Laurent Levigot. Le premier y a publié « Bibeng, l'homme de la rue » et le second y a signé « Tita Abessolo ». En 1983, Achka réalise un hebdomadaire gratuit de petites annonces, le *Coin Coin*, où il distille ses B.D.

En République démocratique du Congo (RDC), il est important de saluer le mérite de l'hebdomadaire *Zaïre-Hebdo* qui, entre 1972 et 1975, a publié d'une manière régulière des épisodes des "Aventures de Mata Mata et Pili Pili" du Congolais Mongo Sisé[4]. C'est l'unique hebdomadaire d'information générale qui s'est intéressé à la B.D. et lui a consacré toute une rubrique : *« Notre feuilleton »*.

Revues et magazines de B.D.

La B.D. centrafricaine est apparue grâce aux revues spécialisées.

Contrairement aux productions ivoirienne, burkinabé et congolaise qui ont débuté dans la presse locale, la B.D. centrafricaine est apparue grâce aux revues spécialisées, à savoir *Tatara* (1983), *Balao* (1985) et *Dounia* (s.d.). *Balao*, « bonjour » en sango, est un trimestriel publiant, outre de la B.D., des jeux et des dossiers thématiques. Par contre, *Dounia* et *Tatara* (« miroir » en sango) sont totalement des magazines de B.D. et en B.D.

En Côte-d'Ivoire, deux magazines ont existé. Ils ont vécu le temps d'un éclair : *Zazou* (1979) et *Le Margouillat* (1984). Au Gabon, la B.D. est aussi passée par les magazines. À noter *Afrikara*, *Cocotier*, *L'Union magazine* et *BD Boom*. La revue *Afrikara* a été lancée par Laurent Levigot et a connu une brève existence. On y a découvert, outre Tita Abessolo, d'autres personnages comme Ayo et Ombiri. *Cocotier*, la première revue de B.D., n'a réalisé que cinq numéros et est devenue aujourd'hui une maison

2. *Il est important de signaler qu'avant Dago et Monsieur Zézé,* Ivoire-Dimanche *avait publié d'autres œuvres, à savoir* **Yapi, Yapo et Pipo** *de G. Ferrant ;* **Hubuc et le travail, Tout s'explique** *et* **Les aventures de Grégoire Kokobé** *de Jean de Dieu Niazebo.*

3. *Trois titres ont déjà paru :* **Ça c'est fort, Ça gaze bien bon,** *et* **Opération coup de poing**.

4. *Les titres ci-après ont fait la joie des lecteurs congolais :* **Le chèque** *(4 septembre 1972 – 29 janvier 1973),* **La médaille d'or** *(7 janvier-23 septembre 1974), et* **La poudre de chasse** *(21 juillet-8 décembre, 1975). Ces œuvres n'ont jamais été publiées en album complet.*

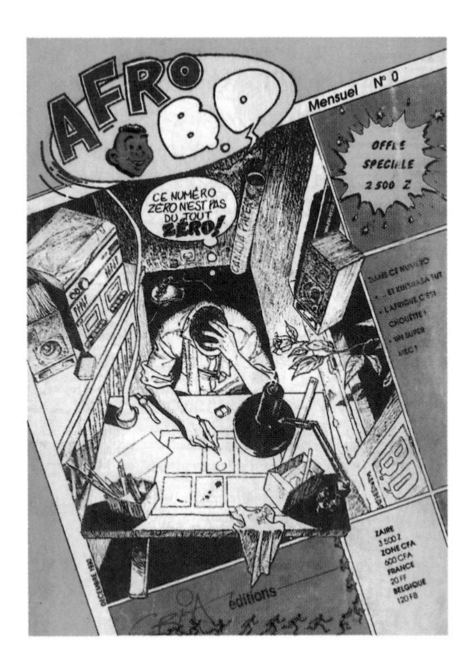

d'édition : Achka. *L'Union magazine* est un mensuel d'information où Achka et Laurent Levigot ont produit respectivement des illustrations et des B.D. Le dernier né est *BD Boom*, « *Magazine Explosif de Bandes Dessinées* ». Il continue à paraître et est animé par une nouvelle génération d'artistes comme Ly-Bek, Pahé et le Congolais Emmany Makonga.

La RDC est un pays qui a vu naître plusieurs revues de B.D. La toute première est *Jeunes pour Jeunes* (1968)[5], devenue *Kake* en 1971, suite à la politique du recours à l'authenticité. *Jeunes pour Jeunes* a eu un énorme succès dans tout le pays, avant de cesser de paraître[6]. D'autres revues, moins célèbres, ont existé et, pour certaines, continuent d'exister. Il s'agit de *Alama* (Lubumbashi), *Yaya, Disco, Rasta Magazine, Bédéafrique, Afro B.D., Évasions, Bleu Blanc, Lisese, Fula Ngenge, Africanissimo, Bulles et Plumes*.

Mais, malgré l'engouement général, pour des raisons économiques et faute de soutien financier, ces revues africaines[7] ont fini par se faire rares dans les kiosques ou les points de vente. Avant de disparaître, elles ont fait connaître des talents comme Lacombe (Côte-d'Ivoire), Anatole Kiba et Raya Sawadogo (Burkina Faso), Achka, Laurent Levigot, Ly-Bek et Pahé (Gabon), Boyau, Asimba Bathy, Barly Baruti, Mongo Sisé, Tembo Kashauri, Fifi Mukuna (RDC), Olivier Bakouta-Batakpa (République centrafricaine), etc.

La presse, quotidienne comme hebdomadaire, est et demeure le véhicule apprécié par le public, parce que pratique et bon marché. Elle

La presse [...] ouvre l'accès à la culture « bande dessinesque » permet, dans certains cas, des pré-publications.

5. *Sur l'origine de cette revue, on lira utilement l'article de Jean-Pierre Jacquemin, « Jeunes pour Jeunes et compagnie », in* **Un dîner à Kinshasa. Concours B.D.**, *Bruxelles-Kinshasa, Ti Suka, 1996, pp.20-21.*

6. *Il y a environ deux ans, les éditeurs ont tenté de relancer la revue en publiant un numéro. Sans succès.*

7. *Des revues comme* Kouakou *et* Calao, *éditées à Paris par SEGEDO, ont réservé aux jeunes artistes africains une page (la quatrième de couverture). À titre d'exemple nous mentionnons entre autres Barly Baruti, R. Rabesanaratana et Simety, qui ont respectivement publié « Mobuta et Mapeka », « Etienne » et « Lobo ».*

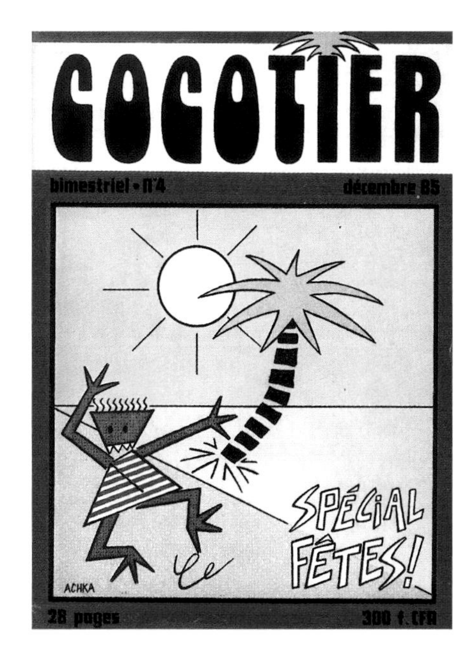

ouvre l'accès à la culture "bande dessinesque" et permet, dans certains cas, des pré-publications[8]. On l'aura remarqué, nous n'avons cité, pour illustrer, que quelques pays. Le constat est presque le même dans plusieurs pays, chacun gardant toutefois ses spécificités : le Sénégal, Madagascar, le Mali, le Tchad, le Bénin, le Congo Brazzaville...

Les revues scientifiques et la reconnaissance internationale

Ces espaces où se développe une réflexion scientifique sur la B.D. africaine.

À côté de la presse et des maisons d'édition, il existe d'autres instances qui, à leur manière, ont contribué à la promotion de la B.D. africaine. Il s'agit de ces espaces où se développe une réflexion scientifique sur la B.D. africaine : ce sont des revues scientifiques ou de vulgarisation qui ont soit consacré un dossier entier au neuvième art en Afrique, soit publié des articles destinés à le faire connaître.

Nous mentionnons, entre autres, *L'Année de la bande dessinée* (Paris), *Vivant Univers* (Namur), *Notre Librairie* (Paris), *Défis Sud* (Bruxelles), *Africultures* (Paris), *L'ABC de la B.D.* (Québec), etc. *L'Année de la bande dessinée* a publié en 1986 un article de Jean-Pierre Jacquemin sur la B.D. africaine[9]. L'auteur décrit le champ africain de la B.D. en présentant les divers acteurs qui y opèrent. En 1987, *Vivant Univers* a consacré tout son numéro 367 à la bande dessinée du tiers-monde (Afrique noire, Amérique latine, Asie, Chine). Sous la plume de Vincent Défourny, on découvre la

8. Avant la publication de leurs albums, T.T. Fons (Sénégal) avait d'abord confié les planches de **Goorgoolou** *à* Cafard Liberé, *et Lacombe à* Ivoire-Dimanche, *etc.*

9. « Bande dessinée africaine : masques et perruques », in **L'Année de la bande dessinée**, *Paris, Glénat, 1986, pp. 185-192.*

richesse insoupçonnée de la B.D. africaine ainsi que ses différents problèmes[10].

Notre Librairie, à son tour, a publié quelques articles sur la B.D. africaine, dans les numéros spéciaux consacrés à la littérature en République centrafricaine[11], au Burkina Faso[12], en Côte-d'Ivoire[13], au Gabon[14] et à Madagascar[15]. Dans son quarante-deuxième numéro, *Défis Sud* s'est consacré aux bandes dessinées d'Afrique et d'Amérique latine. On peut y lire un article de fond signé par Jean-Pierre Jacquemin et deux interviews accordées aux artistes congolais Barly Baruti et Albert Tshiswaka (Tshitshi)[16]. *Africultures* a également publié un dossier, coordonné par Sébastien Langevin[17], réunissant différents travaux et réflexions sur la B.D. d'Afrique : une chronique sur le colloque de Kinshasa[18] et le IIIe Salon africain, de multiples informations sur le neuvième art en Afrique et des entretiens avec quelques bédéistes africains. *L'ABC de la B.D.*, en 1992, a consacré quelques pages à la B.D. africaine en publiant un article présentant les œuvres de Lacombe et Laurent Levigot.[19]

Outre les revues scientifiques, on peut dénombrer d'autres travaux sur la bande dessinée africaine. Il s'agit de thèses de doctorat[20] et de mémoires de licence. On peut aussi noter – gage de reconnaissance – la présence effective de la B.D. africaine lors de rencontres internationales. C'est ainsi qu'on l'a vue plusieurs fois à Angoulême (1986, 1988, 2001), à Grenoble (1990), à Durbuy (1992), à Charleroi, etc.

Personne n'ignore [le rôle] joué par les éditeurs dans le processus d'institutionnalisation de la B.D.

Les maisons d'édition et l'émergence de la B.D. africaine

Si la presse a joué un rôle déterminant, personne n'ignore celui joué par les éditeurs dans le processus d'institutionnalisation de la B.D. En Afrique, le problème de l'édition se pose de la même façon pour tous. Les éditions spécialisées dans la B.D. n'existent pas. Quelques-unes, implantées en

10. *Deux articles sont consacrés à l'Afrique noire : Vincent Defourny, « Une richesse insoupçonnée » in* Vivant Univers, *n° 367, 1982, pp. 30-34 et Olivier Bakouta-Batakpa, « Tatara : un miroir », op. cit., pp. 34-35.*

11. *Philippe Robert, « La bande dessinée », in* Notre Librairie, *n° 97, 1989, pp. 107-108.*

12. *Jean-Pierre Guingané, « Yirmoaga, tu me fais rigolement », in* Notre Librairie, *n° 101, 1990, pp. 92-95.*

13. *Diégon Bailly, « Les bandes dessinées », in* Notre Librairie, *n° 87, 1987, pp. 97-101.*

14. *M. Voltz, « La bande dessinée », in* Notre Librairie, *n°105, 1991, pp. 114-117.*

15. *Nestor Rabearizafy, « Les Gasy font des bulles ! La bande dessinée des origines à nos jours », in* Notre Librairie, *n° 110, 1992, pp. 83-92.*

16. *Il s'agit plus particulièrement de la B.D. congolaise : J.-P. Jacquemin, « B.D. ya Kongo », in* Défis Sud, *n° 42, 2000, pp. 20-23 ; F. Sidibé, « L'Afrique regorge de talents. Un entretien avec Barly Baruti », in op. cit., pp. 24-25 et F. Van Poucke, « D'abord résoudre le problème d'édition. Un entretien avec Albert Tshiswaka », in op. cit., p. 26.*

17. Africultures, *n° 32, novembre 2000. Voir surtout les pages 5-55.*

18. *Le colloque a eu lieu à Kinshasa du 20 au 23 septembre 2000 au Centre Wallonie-Bruxelles sur le thème « La bande dessinée africaine. Son discours et ses problèmes ». Les Actes de ce colloque seront publiés prochainement.*

19. *Richard Leclerc, « Des B.D. remplies d'humour... et de leçons », in* L'ABC de la B.D., *Vol.1, n° 3, 1992, pp. 3-4.*

20. *Nous citons à titre indicatif notre thèse :* **La religion des bulles. Analyse du discours religieux dans la bande dessinée africaine d'expression française**, *Louvain-la-Neuve, Université Catholique de Louvain, 1996. Cette thèse devrait être publiée prochainement sous le titre « Le discours religieux dans la bande dessinée africaine ».*

Europe ou en Afrique, se sont lancées dans l'aventure éditoriale, en publiant ponctuellement un ou plusieurs albums. Il s'agit de : L'Harmattan (Paris), Segedo (Paris), Eur-af Éditions (Ecaussines/Belgique), Éditions Clé (Yaoundé), Nouvelles Éditions Africaines (Dakar, Lomé), Nouvelles Éditions Ivoiriennes (Abidjan), Médiaspaul (Kinshasa), Afrique Éditions (Kinshasa), Acrep Éditions (Kinshasa), Achka (Libreville), Horaka (Antananarivo), Sogedit (Dakar), Archevêché de Bangui, etc.

Ces maisons, sans être spécialistes dans ce domaine, ont, *mutatis mutandis*, contribué à la diffusion de la B.D. africaine. Mais les difficultés financières et la mauvaise diffusion ont fait que de nombreux talents restent inconnus. Les structures économiques, politiques et culturelles n'apportent pas leur soutien de manière permanente et efficace. Ainsi, les talents africains, confrontés aux problèmes d'édition, de diffusion et de formation cherchent à immigrer ou sombrent dans l'anonymat.

Ainsi, les talents africains [...] cherchent à immigrer ou sombrent dans l'anonymat.

Toutes ces difficultés empêchent la B.D. africaine de connaître son véritable essor et de s'ouvrir au monde. Il est difficile et rare de trouver une B.D. totalement africaine : dans la majorité des cas elle est métisse, c'est-à-dire que les efforts fournis pour sa production viennent de partout et résultent du fruit de la coopération entre le Nord et le Sud, c'est-à-dire le mélange d'un scénario ou des capitaux du Nord et le crayon du Sud. Dans ce sens, il est nécessaire de signaler le rôle joué par l'Agence de la Francophonie, l'UNESCO, la Communauté française de Belgique, la Coopération française dans l'organisation des multiples rencontres, stages et ateliers de formation, à l'étranger ou en Afrique, pour les jeunes dessinateurs africains.

Il est difficile et rare de trouver une B.D. totalement africaine.

Acquis et interrogations

Il n'y a plus de doute. La B.D. africaine est aujourd'hui une réalité. Elle existe, elle se vend et elle se lit. Plusieurs manifestations lui ont été réservées : salons, festivals, expositions, colloques et travaux scientifiques. Elle possède, comme partout ailleurs, ses héros et contribue à la création artistique et littéraire africaine contemporaine.

Ces acquis ne pourront perdurer sans la prise en compte des problèmes de l'édition, de la formation des artistes, du scénario et surtout de *« l'amateurisme de ceux qui œuvrent dans la création, la production, la commercialisation (diffusion et distribution (...) »*[21] de la bande dessinée. Pour assurer sa totale émergence et s'insérer dans le champ mondial, la B.D. africaine doit sortir de la logique de l'art pour l'art pour embrasser celle du marché, de l'industrie, c'est-à-dire qu'elle doit se vendre, s'exporter, être compétitive et devenir un média de masse.

La B.D. africaine doit sortir de la logique de l'art pour l'art pour embrasser celle du marché.

Hilaire MBIYE LUMBALA
Facultés Catholiques de Kinshasa

21. Budim'Bani Yambu, « Problèmes actuels d'édition et de diffusion de la bande dessinée », in **Bande dessinée africaine. Son discours et ses problèmes**. *Actes du Colloque de Kinshasa (20 – 23 septembre 2000) (à paraître).*

2

Expériences

De la Côte-d'Ivoire au Congo en passant par le Bénin, de la Réunion à Madagascar : nombreux sont les lieux où des expériences significatives sont tentées et réussies dans le domaine de la B.D. Des itinéraires parfois individuels d'auteurs croisent souvent des projets collectifs fédérant plusieurs talents dans des revues telles *Gbich !* et *Le Margouillat* ou des albums comme **A l'ombre du baobab.**

Itinéraire d'un écrivain-scénariste

Florent Couao-Zotti

L'image d'abord. Le texte ensuite. Puis l'histoire.
L'histoire, un déploiement de sens et de trajectoire, le mouvement d'hommes et de femmes inscrits dans la représentation du monde, dans la figuration de l'espace de vie.
L'image, le texte et l'histoire : trois étapes qui se déclinent dans la formulation de la bulle – la bande dessinée – un genre spécifique qui emprunte à la fois aux expressions des arts graphiques et aux récits de l'imaginaire.
Juxtaposer la bande dessinée et la littérature, roman et nouvelles notamment, c'est tenter d'établir un lien de parenté induit entre deux expressions apparemment différentes ; c'est définir les pôles irréconciliables qui déterminent et instruisent la spécificité de chaque genre ; c'est faire affleurer et articuler en termes ordinaires ce qui, dans ma double expérience de scénariste et d'auteur, semble révéler du senti, de l'intuition, de l'empirisme artistique et littéraire.

De l'image pieuse à la bande dessinée

L'image : le dessin, les couleurs. La réalité suggérée, transformée, imaginée. Pendant longtemps, l'image, dans ma tête d'enfant, a été associée à la représentation du sacré, aux symboles de la foi chrétienne. Les iconographies, à l'intérieur des petits illustrés de textes bibliques que des prédicateurs itinérants nous offraient à travers le village de Pobè, m'avaient toujours renvoyé aux différents épisodes de la naissance du Christ, avant et après la Bonne Nouvelle. L'enfant Jésus n'était pas seulement le compagnon vulnérable qu'on voudrait protéger contre les hommes d'Hérode mais un aventurier dont on suivait, obstacle après obstacle, les affres et les espoirs. La force de suggestion des illustrations, la netteté des contours des personnages et surtout la forme narrative des dessins[1] pouvaient

BÉNIN
«Les couleurs de la mémoire»,
«Du côté de Xogbonu».
F. Couao-Zoutti et H. Sonon

1. *International Bible Student Association,* **Recueil d'histoires bibliques***, New York, Watchtower Bible and tract Society, 1968, 117 p : le nom du dessinateur n'est jamais mentionné.*

2. *Il y avait là les numéros de* Bibi Fricotin, Les Pieds Nickelés, Rahan, *etc.*

certes susciter une adhésion aux dogmes professés, mais elles avaient l'avantage de tracer, avant coup, les contours d'un univers singulier que j'allais plus tard apprendre à fréquenter, à investir, à m'approprier : la bande dessinée.

À l'école, dans les livres scolaires, partout où le texte accompagnait les représentations graphiques ou inversement, nulle image n'avait sur moi, un tel pouvoir de fascination que ces dessins. Et me voilà, reproduisant à la décalque ou à la copie, les mêmes illustrations, suggérant parfois aux personnages et aux décors des traits particuliers inspirés de mon univers familier.

À l'époque, un soir sur trois, j'avais la faveur de ma grand-mère. Quand ses rhumatismes lui laissaient un peu de répit, elle nous gavait – les enfants de la concession et moi – de contes, le récit de tous les âges. Elle avait sur les lèvres les paroles de l'imaginaire, grand-mère. Parfois elle nous obligeait à participer à l'affinement de certains contes, à leur inventer d'autres fins, à leur suggérer d'autres trajectoires. Une manière d'initier les jeunes à l'art du récit oral, une façon de susciter des vocations de diseurs des « mensonges » non au clair de lune mais sous l'éclairage orangé des lampions et des lampes-tempêtes.

Image. Récit raconté. Initiation à l'art oral. Les pièces d'un puzzle étaient, semble-t-il, en train de se composer.

Une histoire racontée par le mouvement et le dialogue des personnages.

Quand, sur les rayons poussiéreux de la bibliothèque départementale de Parakou, je découvris pour la première fois des illustrés[2], je mesurai, ahuri, la boucle que je venais de boucler : dessins en case, personnages en mouvement, petits narratifs en coin, dialogues lovés dans les bulles puis, au fil des planches, une histoire qui se développe, se nourrit des ingrédients des récits à suspense... C'était cela, le chaînon manquant : la présentation en vignettes et dans une succession rigoureuse, d'une histoire racontée par le mouvement et le dialogue des personnages. J'eus alors l'envie de risquer un pari : adapter en bande dessinée l'un des contes préférés de grand-mère, celui qui, en ce moment-là, avait le pouvoir de débrider mon inspiration. Sans méthode, bien sûr. Sans

BÉNIN
«Les couleurs de la mémoire», «Du côté de Xogbonu».
F. Couao-Zotti et H. Sonon

talent non plus, car ne comptant que sur quelques coups de crayon réussis dans le passé. Amère déception : l'ambition était au-dessus de mes capacités.

La conversion au récit littéraire

Avec les aventures hilarantes de Tintin[3], m'était apparue la bande dessinée à ligne claire. Contrairement aux petits formats italiens des éditions Nova[4], la ligne claire procède par dessins sans ombre ni surcharge, avec des contours précis qui confèrent à l'image une netteté éclatante, proche du naïf. Ce sera le parti pris formel de toute une génération de dessinateurs belges dont le plus connu, Edgard Jacobs, scénariste et dessinateur de la série « Blake et Mortimer »[5]. La ligne claire : c'était donc mon choix, la nature de la B.D. que je voulais créer. Mais encore fallait-il d'abord maîtriser les notions abécédaires du genre et en connaître les principes généraux. Dans le club B.D. que certains passionnés avaient créé dans mon collège, on m'informa qu'il y avait trois étapes dans le processus de création d'une bande dessinée : le scénario, le découpage technique et l'exécution des dessins.

La ligne claire : c'était donc mon choix.

La conception d'un scénario ne relève pas du génie. Elle me paraissait, après le synopsis, l'exercice le plus facile à ordonner, d'autant qu'il emprunte à la fois au récit traditionnel, avec ses descriptifs et ses narratifs, et au texte théâtral avec ses dialogues et ses didascalies.

Plus je m'attachais à affiner mon scénario, plus je m'apercevais qu'il échappait à mon dessein, au genre auquel je le destinais. Et il a suffi de supprimer des passages dialogués, de rendre moins schématiques certaines descriptions, pour que le texte présente un nouvel habillage. Je venais d'écrire ma première nouvelle.

C'était précisément le temps où en classe, je m'éveillais à la littérature africaine. C'était le temps où, passées les lectures suivies des textes d'auteurs africains à travers les anthologies étagées des **Pages Africaines**[6], je découvrais des nouvelles publiées par des revues panafricaines, *Bingo* et *Amina*. Ce n'étaient pas des extraits de **Maïmouna**[7] ou de

3. Hergé, « Les Aventures de Tintin et Milou » *(22 albums publiés entre 1937 et 1975).*

4. Les Éditions Nova ont essaimé à travers le monde plus d'une quarantaine de titres de héros à travers des centaines d'aventures présentées en séries.

5. Edgard Jacobs, « Les Aventures de Blake et Mortimer », Éditions Dargaud.

6. Vézinet et Désamais, **Pages Africaines**, *Paris, Hatier, 1966.*

7. Abdoulaye Sadji, **Maïmouna**, *Paris, Présence Africaine, 1958.*

L'Enfant noir[8] qui décrivaient avec nostalgie la vie d'une petite fille ou d'un petit garçon dans la brousse africaine, mais plutôt des formes courtes qui retraçaient les flux nerveux des villes, les rêves distendus de sa jeunesse livrée à elle-même et écrasée par le poids de ses impératifs.

L'expérience avec un dessinateur

Avec l'ouverture démocratique du début des années quatre-vingt-dix, s'est transformé, au Bénin, le paysage médiatique. La presse écrite, prolifique et enthousiaste, s'est découverte des modèles en France notamment avec des titres comme le *Canard du Golfe*[9].

Journaliste dans cet hebdomadaire satirique, je découvrais les caricatures qu'un jeune dessinateur, Hector Sonon nous proposait en même temps que sa première bande dessinée **Zinsou et Sagbo**[10], publiée presque dans la confidentialité : dessins sobres largement influencés par le style Dufossé[11], cadrages serrés, scénarios inspirés de **Boule et Bill**[12]. Malgré les faiblesses et les maladresses liées à cette première expérience, il y avait chez lui un talent inéluctablement prometteur. Échange de projets entre nous : j'avais des scénarios à proposer à un dessinateur, lui cherchait des textes à illustrer en bande dessinée. Et le compagnonnage a commencé.

J'avais des scénarios à proposer à un dessinateur, lui cherchait des textes à illustrer en bande dessinée.

Notre première publication date de 1991 : **Inceste, Sang et Larmes**[13]. Elle raconte l'histoire d'un adolescent accusé à tort d'être l'auteur de la grossesse d'une camarade de classe, alors que l'acte est à imputer au père de la jeune fille.

La deuxième expérience est venue quelques mois après avec **Papa Ziboté**[14]. Il s'agit ici d'une critique socio-politique : un alcoolique qui se promène dans la rue, découvre les travers d'une société qu'il dénonce sans fard : policier véreux, député corrompu, prostituée, enfant de rue, etc. Entre 1996 et 2000, sont publiés quatre des dix tomes des « Couleurs de la Mémoire »[15]. C'est une saga historique, qui met en scène le personnage d'Adéfêmi, une princesse yorouba capturée par des négriers. Échappée, elle erre à travers la sous-région ouest-africaine à la recherche de ses parents. Cette série mélange deux genres : le récit historique et la bande dessinée d'aventure.

Un travail commun : le découpage du scénario, la distribution des planches, le remplissage des bulles...

Que ce soit l'un ou l'autre cas, la collaboration procède de la même démarche : synopsis et écriture du scénario par le scénariste, étude des personnages et des décors puis exécution des dessins par le

8. *Camara Laye,* **L'Enfant Noir**, *Paris, Plon, 1953.*

9. *Satirique paraissant toujours à Cotonou.*

10. *Hector Sonon,* **Zinsou et Sagbo**, *édité par l'auteur, Cotonou 1988.*

11. *Bernard Dufossé est connu en Afrique pour avoir créé le personnage de Kouakou, un jeune africain injecté dans des aventures se déroulant dans son environnement villageois.*

12. *Roba, « Boule et Bill », Dupuis.*

13. **Inceste, Sang et Larmes**, *in* Le Forum de la Semaine, *Cotonou, janvier-mai 1991 (20 planches).*

14. **Papa Ziboté**, *in* Abito, *Cotonou, octobre 1992-février 1993 (5 planches).*

15. *« Les Couleurs de la Mémoire » in* Interfaces, *Cotonou, novembre 1996, juillet 1997, août 1998, janvier 2000. (Ces quatre tomes s'inscrivent dans un projet de promotion culturelle en faveur des communautés villageoises initié par une l'ONG belge, Vreidesanlanden).*

dessinateur. Mais entre les deux tâches, s'effectue un travail commun : le découpage du scénario, la distribution des planches, le remplissage des bulles...

Inventeur ou co-inventeur de l'histoire, le scénariste s'attache à produire un texte exploitable par le dessinateur : description du décor, description de l'action, portrait détaillé des personnages, expressions des visages. Il faut ici suggérer au mieux les images à représenter, le mouvement des personnages. Ne pas entendre par là des détails infiniment délayés à la Balzac, mais plutôt des précisions ajustées à travers deux ou trois phrases. Nul besoin d'effets littéraires : extrêmement dépouillé, le style peut s'apparenter à un texte télégraphique. Exemple :

« *Case N°1*

Panorama d'un paysage montagneux.

Début de forêt.

Nuit profonde.

Croissant de lune dans le ciel.

Adéfêmi est sur son cheval galopant à bride abattue. Cheveux nattés, justaucorps en forme de robe, bracelet scintillant autour de l'avant-bras. »[16]

Autre aspect du scénario : le dialogue. Si la bande dessinée nous montre des personnages échangeant des paroles à travers la bulle, c'est que le scénariste, au départ, en a suggéré la représentation. Le dialogue se décline alors à la manière d'un texte théâtral.

Mais beaucoup plus intéressante est la démarche de l'écrivain quand il suggère au dessinateur des interjections ou des onomatopées pour restituer des bruits des êtres et des choses. Le scénariste propose, variés à l'extrême, des sons comme « *Psss !* », « *To ! To !* », « *Ouch* », « *Boum !* », « *Splatch !* », etc., ou des signes comme « *?* », « *!* » « *etc ? !!!* », pour traduire des expressions d'interrogation, de surprise ou d'exclamation des personnages.

Enfin, j'évoquerai le narratif en bande dessinée. Est narratif tout texte placé généralement en haut d'une case ou sur bande horizontale. Il sert à introduire une séquence de l'histoire, à expliquer un fait non compréhensible au lecteur – ou à servir de transition entre deux actions. Les formules sont classiques et, mis à part le cas d'Edgard Jacobs, elles ne varient pas d'un scénariste à l'autre. Exemple : « *le jour se lève sur* » ; « *sous un soleil de ...* », « *deux heures plus tard* », « *à quelque distance de là* ».

La dette du récit au scénario

Il est apparemment difficile de relever, dans un roman ou une nouvelle, ce qui peut procéder du scénario « bédéique ». Et pourtant, en relisant certains de mes textes, je perçois quelques-uns de ces signes

En relisant certains de mes textes, je perçois [...] une lointaine articulation avec le genre.

16 *Extrait du scénario des « Couleurs de la Mémoire », épisode 4 « Du côté de Djougou » in* Interfaces *n° 3 Cotonou, 2000.*

qui, s'ils ne relèvent pas directement de la bande dessinée, semblent toutefois établir une lointaine articulation avec le genre : l'usage des scènes courtes et visuelles et l'utilisation des onomatopées.

Que ce soit **Notre pain de chaque nuit**[17], **L'homme dit fou et la Mauvaise foi des hommes**[18] ou **Charly en guerre**[19], on retrouve, de manière quasi permanente, des séquences que j'ai voulues très visuelles, découpées comme dans un scénario. Cela tient aussi bien au caractère extrêmement mouvementé des situations qu'aux actions parfois survoltées qu'entreprennent les personnages. Par ailleurs, de façon générale, mes récits débutent *in medias res*, au cœur de l'action avec une perspective progressive rythmée par des scènes vives qui concèdent peu de place à la contemplation.

Une autre dette à concéder au texte scénarisé : l'utilisation des onomatopées.

Autant les images en bande dessinée sont expressives, autant les descriptifs en prose romanesque n'arrivent pas parfois à restituer les sons, les bruits produits par les êtres et les choses. Mais pour y parvenir, j'ai souvent recours aux onomatopées, à la création de néologismes et de syllabes particulières plutôt spécifiques à la bande dessinée. Mais encore faudrait-il les ordonner intelligemment pour qu'ils s'intègrent parfaitement au récit.

Exemple : « *Il sent des bourdonnements dans le ventre Clo, clo, clo, koui koui* »[20]. « *À peine le doigt de l'inspecteur chatouille-t-il la gâchette de son arme qu'une volée de mitraille sort du canon tac-tac tac-tac-tac... !* »[21]. « *Alors il réunit une épaisse morve au creux de la langue et... tchouai !!!* »[22].

L'expérience de l'écriture « bédéique » et de la prose romanesque n'a pas fini de révéler ses secrets. Présenté comme un travail ingrat, parce qu'invisible sous sa forme composée, le scénario n'est que le versant littéraire de la bande dessinée. Comme tel, il offre des possibilités d'emprunt à la prose narrative, tout comme celle-ci s'inspire de quelques aspects de son mode de fonctionnement. Pour un créateur qui navigue entre les deux genres, une telle opportunité ne peut qu'accroître les chances d'un investissement supplémentaire dans l'un ou l'autre domaine. Peut-être permettra-t-il de renouveler la fiction narrative ou d'insuffler une autre dynamique à la bande dessinée africaine. Une perspective envisageable à l'heure de l'interpénétration des genres, à l'heure où les expressions artistiques s'inspirent des nouvelles technologies et s'ouvrent aux formes littéraires les plus classiques.

Florent COUAO-ZOTTI

CAR, IL ME SERA D'UNE GRANDE UTILITÉ.
À SUIVRE ...

BÉNIN
«Les couleurs de la mémoire», «Du côté de Xogbonu».
F. Couao-Zotti et H. Sonon

Le scénario n'est que le versant littéraire de la bande dessinée.

17. *Florent Couao-Zotti,* **Notre Pain de chaque Nuit**, *Paris, Le Serpent à Plumes, 1998.*

18. *Florent Couao-Zotti,* **L'Homme dit fou et la Mauvaise foi des Hommes**, *Paris, le Serpent à plumes , 2000.*

19. *Florent Couao-Zotti,* **Charly en Guerre**, *Paris, Éditions Dapper, 2001.*

20. **L'Homme dit fou et la Mauvaise foi des Hommes**, *p. 21.*

21. *Idem, p. 22.*

22. **Notre Pain de chaque Nuit**, *p. 81.*

Gbich ! : opération coup de poing

Fabrice Dauvillier

L'apparition de *Gbich !* dans le paysage journalistique ivoirien a fait l'effet d'un véritable coup de poing (*"Gbich !"*). Après trois ans d'existence et une centaine de numéros parus, *Gbich !* est devenu un réel phénomène de presse, se targuant d'un tirage de 40 000 exemplaires et d'un taux de vente exceptionnel en Afrique francophone. À titre comparatif, un journal d'actualité ivoirien tire à 10 000 exemplaires. Le mérite est grand de s'être frayé un chemin dans les dédales d'une presse foisonnante mais tendancieuse, débordant de titres racoleurs, et d'avoir su fidéliser un public sans cesse grandissant et prêt à investir 300 FCFA (soit 3 FF) chaque vendredi.

Genèse d'un succès

S'appuyant sur une ligne éditoriale et graphique de qualité et une logistique efficace, l'aventure de *Gbich !* doit beaucoup aux talents d'une équipe bien rodée : Zohoré, directeur de publication, Bledson Mathieu, rédacteur en chef et Illary Simplice, caricaturiste en chef, ont fait leurs armes dans la presse locale ; ils ont su s'attacher les services d'excellents dessinateurs, issus pour la plupart de l'École des Beaux-Arts d'Abidjan, et tirer parti du fragile et douloureux contexte ivoirien, indéniablement favorable au lancement d'un journal humoristique. « *Si nous en sommes là aujourd'hui, estime Bledson, c'est grâce aux femmes et aux enfants ; ce sont les femmes qui ont imposé le journal à leurs maris et en Côte-d'Ivoire, quand les femmes adorent un journal, ça marche à tous les coups !* ». Le rythme de parution s'en est accommodé. Mensuel en noir et blanc à sa parution, le journal est devenu bimensuel puis hebdomadaire avec quatre pages en quadrichromie ; un succès qui fait bien des envieux. Les annonceurs affluent, certains restent même à la porte : « *La publicité est dangereuse et envahissante, elle peut vite nuire à la qualité d'un journal qui se lit déjà trop rapidement ; les confrères ne comprennent pas toujours cette politique* ». Il n'empêche que l'équipe de *Gbich !* jouit d'une vraie marque de reconnaissance parmi les confrères en question. Les conférences de presse que Bledson et les siens tiennent régulièrement à Abidjan ou en province passent rarement inaperçues. Six journalistes et administratifs ainsi qu'une vingtaine de dessinateurs font aujourd'hui les beaux jours du journal. Personne n'est de trop, vu l'abondance de

En Côte-d'Ivoire, quand les femmes adorent un journal, ça marche à tous les coups !

projets. Après les numéros spéciaux trimestriels, c'est au tour de *Gbichton*, mouture de huit pages pour enfants, de voir le jour au printemps 2001 et des projets d'albums se dessinent pour l'année prochaine ; sans parler du site Internet www.assistweb.net/gbich qui a déjà accueilli plus de 45 000 visiteurs et du festival Cocobulles annoncé pour novembre.

GBICH !
LE JOURNAL D'HUMOUR ET DE BD QUI FRAPPE FORT !
N° 080 du 20 au 26 avril 2001 - Hebdomadaire Prix : 300 F
www.assistweb.net/gbich - e-mail : gbich@assistweb.net

PHYTO RAMA Labo
CENTRE DE TRAITEMENT DES STERILITES
Consultation sur RDV

LES FEMMES QUI BATTENT LEUR MARI

À QUAND LE PROCHAIN GBICH ! HORS SERIE ? LE 4 MAI !!!
À QUAND LA SORTIE DE le Gbichton ? LE 4 MAI !!!
CES DEUX NUMEROS SERONT VENDUS À... 300 F (LES DEUX !!!)

FOULOSOPHIE
"Si tout le monde vous donne raison, c'est que vous êtes d'une intelligence remarquable... ou bien que vous êtes le patron."

BIENTÔT le Gbichton
Retrouvez CAUPHY KAN, pire que son père CAUPHY GOMBO

La recette de *Gbich !* : l'autonomie

Constitué en entreprise trois mois après son lancement, *Gbich !* a l'avantage appréciable d'être conçu à 80 % dans ses locaux de Marcory. Maquette et flashage sont assurés à domicile ; seule l'impression est effectuée à l'extérieur sur les presses de News Print. Au vu de la maquette, difficile de ne pas évoquer *Charlie Hebdo*, mais Bledson tient à faire valoir sa différence : « *Notre credo, ce n'est pas la satire, c'est l'humour* ». Effectivement, *Gbich !* n'est pas un journal franchement engagé ; il s'en dégage plutôt une sorte d'humour de proximité, même si l'on peut parfois regretter certaines facilités, certaines blagues assez convenues au détriment d'un humour plus incisif. Les références socioculturelles abondent néanmoins, assorties d'un langage typiquement ivoirien, celui de la rue, celui de tous les jours, de toutes les bouches.

Une sorte d'humour de proximité.

Enseignants et psychologues sont mis à contribution pour superviser la syntaxe et l'orthographe. Chacun reste attentif évidemment à l'évolution de la vie politique et quelques coups de griffe rappellent que la satire n'est pas très loin. Bledson, lui, se veut le « *garant moral* » du journal : « *Le lecteur doit être politiquement assis, la satire ce n'est pas l'injure, c'est la subtilité. L'attaque doit être sympathique, moi-même j'accepte d'être taxé de dictateur !* ». En fait, son bureau est ouvert et accessible en permanence ; tout peut s'y dire et s'y proposer ; la réunion du lundi tranchera. Instituée pour définir les thèmes du numéro à venir, cette réunion est aussi pour les néophytes l'occasion de caser un modeste dessin, de s'assurer un petit moment de gloire. Le journal s'appuie, on l'a dit, sur une équipe solide, fiable, des rubriques rédactionnelles cohérentes et sur bon nombre de séries-pilotes : “Sergent Deutogo”, “Tommy Lapoasse”, “Filo et Zoffy” sans oublier la charmante “Gazou” d'Illary Simplice. La série majeure reste néanmoins “Cauphy Gombo”, homme d'affaires

(« *no pitié in bizness* ») et malchanceux, qui sous la plume de Zohoré a acquis une indéniable notoriété (une montre à son effigie a même été créée). Le lecteur est tout heureux de retrouver dans ces séries les tracas et les travers de la vie quotidienne et s'en décharge d'une certaine façon. Les forces de l'ordre elles-mêmes apprécient (à leur juste valeur) le Sergent Deutogo de Bob Kanza, un policier qui n'a de cesse de ramener deux togos (francs) à la maison : « *Les policiers apprécient, et me taquinent dans la rue, mais au fond, ils se retrouvent dans ce personnage* ».

Retrouver dans ces séries les tracas et les travers de la vie quotidienne.

La B.D. réaliste a aussi sa place dans *Gbich !* ; a priori elle détonne quelque peu mais les thèmes, inspirés de légendes africaines et de feuilletons brésiliens (!) sont assurément porteurs. Quant aux pages humour, elles permettent à de jeunes dessinateurs comme J.-M. Tayou et Ben de faire leurs premières armes et d'espérer imposer un jour leur propre série.

La vie n'est pas forcément rose pour le dessinateur débutant.

Les sources d'inspiration graphique varient au gré des revues et albums disponibles à Abidjan. Certes, on peut y trouver les classiques franco-belges, des *comics* américains, des *mangas*, mais les prix pratiqués (équivalents aux prix français) sont décourageants, il faut donc se rabattre sur les occasions, les échanges et saisir les opportunités quand elles se présentent : Zohoré, de retour d'Angoulême, a rapporté une cinquantaine d'albums et c'est toute la rédaction qui en profite. On le devine, la vie n'est pas forcément rose pour le dessinateur débutant. Il lui faut convaincre ses parents (le plus dur peut-être) et pour vivre de son pinceau, mieux vaut décrocher quelques « *gombos* » (petits boulots parallèles). La création de *Gbichton* sera l'occasion de faire ses preuves. Après quatre numéros-tests, celui-ci vole désormais de ses propres ailes et propose huit pages bimensuelles pour 200 FCFA. Un seul mot d'ordre : « *Ne pas perdre de vue qu'un journal pour enfants doit aussi plaire aux parents* ». La plupart des B.D. mettront donc en scène les personnages de *Gbich !* durant leur enfance.

© Gbich !

Vers une structure panafricaine ?

La distribution est le seul secteur que Bledson juge « *boiteux* », *Gbich !* ne s'en tire pourtant pas si mal ; chaque exemplaire, vendu 300 FCFA, rapporte 40 FCFA ; le nombre d'invendus est minime, le journal ayant la possibilité d'écouler à moindre prix les invendus par le biais de points de vente parallèles. Bledson regrette surtout que le journal ne soit pas diffusé hors du pays : « *Les structures jumelles d'Édipresse, filiale du groupe Hachette en Côte-d'Ivoire, ne souhaitent pas ou ne parviennent pas à travailler ensemble, il est vrai que la diffusion de* Gbich ! *ne représente pas le même poids que le marché du livre scolaire !* ». De même, la diffusion trop hasardeuse de certains numéros spéciaux a engendré un début de panique. Les 25 000 exemplaires du numéro consacré au coup d'État se sont envolés dès la mise en kiosque, un second tirage a dû être effectué en catastrophe. Au travers de l'évolution de *Gbich !*, c'est tout le problème de l'édition et de la diffusion en Afrique qui est posé. Bledson souhaite que des structures africaines de distribution puissent se mettre en place et préfère ne pas compter sur une quelconque forme de coopération : « *Je n'aime pas les livres subventionnés. Ce qui m'arrangerait, moi, c'est plutôt une aide ou un prêt à ma structure et que je puisse en faire ce que je veux par rapport à mon projet* ». En parallèle s'est constituée, en décembre 1999, l'association « Tache d'encre ». Son secrétaire général, Mendozza, prêche pour l'ensemble des dessinateurs ivoiriens : « *Quand on veut promouvoir un corps de métier, il faut se réunir en association et tout mettre en œuvre pour que d'ici quelques années, un individu puisse s'adonner au dessin et en vivre décemment* ». Le festival Cocobulles arrive à point nommé pour affirmer la B.D. ivoirienne sur le continent. *Gbich !* en sera bien sûr le moteur et Bledson espère que la réussite de ce festival, appelé à se renouveler tous les deux ans, débouchera à terme sur la fondation d'une école ivoirienne de B.D. Actuellement seule, l'INAAC (Institut National des Arts et Actions Culturelles), dès le BEPC, puis l'École des Beaux-Arts, dispensent une formation artistique, mais la bande dessinée n'y jouit pas pour le moment d'une considération particulière. Après les Journées de la Bande Dessinée de Libreville et le Festival de Kinshasa, voici donc l'Afrique de l'Ouest nantie d'un festival de dimension internationale. Quant au choix de Grand-Bassam, ville touristique accueillante et reposante, située à trente minutes d'Abidjan, il allait de soi ; il y a décidément du beau temps sur *Gbich !* et la bande dessinée ivoirienne !

Au travers de l'évolution de Gbich !*, c'est tout le problème de l'édition et de la diffusion en Afrique qui est posé.*

GBICH !
LE JOURNAL D'HUMOUR ET DE BD QUI FRAPPE FORT !

gbichton
www.assistweb.net/gbich
LE GRAND JOURNAL DES PETITS

Fabrice DAUVILLIER

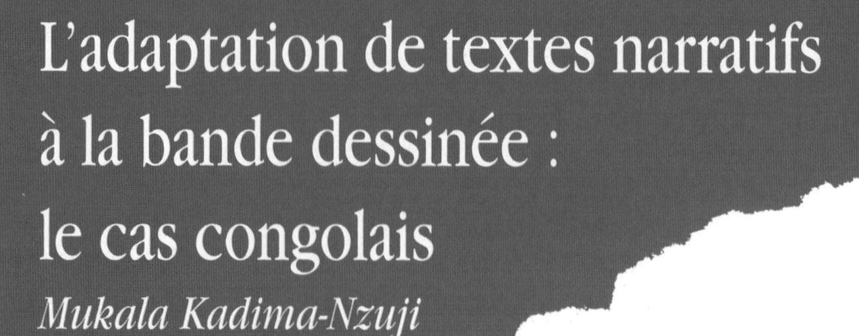

L'adaptation de textes narratifs à la bande dessinée : le cas congolais

Mukala Kadima-Nzuji

L'objet de cette étude n'est pas d'examiner les rapports existant entre la bande dessinée en tant que genre et les œuvres narratives d'auteurs congolais [1], ni de chercher à savoir, en s'appuyant sur un corpus bien délimité, comment s'est effectué le passage du textuel à l'iconique. Il vise plutôt à plaider en faveur d'une adaptation « bédique » massive de textes de la littérature congolaise écrite et à voir selon quelles modalités une telle expérience peut être réalisée.

Pourquoi adapter la fiction narrative congolaise à la bande dessinée ?

La bande dessinée est une narration segmentée en cases et fondée sur une alliance harmonieuse de l'image et du texte. À l'intérieur de chaque case se déploie « une réserve blanche » aux contours irréguliers, appelée soit « ballon », soit « phylactère », soit « bulle ». En somme, la bande dessinée est « *une technique narrative : elle raconte une histoire* » [2]. De par sa nature, elle postule une double lecture, celle du dessin et celle du texte. Maurice Tochon, l'un des meilleurs connaisseurs de la bande dessinée, observe à juste titre que, quel que soit l'emplacement du texte, dans les vignettes ou sous les images, c'est « *tout le rapport de l'image au texte qui est en cause* » [3]. L'iconique et le textuel sont en effet deux modes d'expression et de communication sociale en contact ; ils sont également deux modes d'organisation narrative profondément différents et à la fois complémentaires ; ils produisent deux types de message, l'un visuel l'autre linguistique. Comme l'indique Vanoye, ce sont « *les rapports*

Deux types de messages, l'un visuel l'autre linguistique.

1. *Il s'agit d'auteurs de la République démocratique du Congo (ex-Zaïre).*

2. *Francis Vanoye,* **Expression Communication**, *Paris, Armand Colin, coll. U, série communication, 1990 (1ère édition en 1973), p. 201.*

3. *Maurice Tochon, « La B.D., une galaxie... », article paru in* Vivant Univers, *« Bande dessinée et Tiers Monde », n° 367, janvier-février 1987, pp. 2-11.*

entre ces deux messages qui constituent le message global »[4], que le lecteur est appelé à décrypter. Dès lors la conjonction du textuel et de l'iconique apparente la bande dessinée à d'autres modes d'expression et de communication, notamment à la littérature, au théâtre et au cinéma.

Ces emprunts à divers modes de communication et les transformations auxquelles la bande dessinée les soumet, font de ce genre un art vivant et total. Et c'est parce qu'elle est un art total que la bande dessinée acquiert des pouvoirs insoupçonnés, ceux de communiquer, d'informer, de juger, d'influer sur le rêve et le désir, d'entraîner l'adhésion dans l'instant. On pourrait objecter que toute œuvre d'art détient et exerce les mêmes pouvoirs. La réponse est que dans le cas de la bande dessinée, ces pouvoirs sont décuplés du fait de l'alliance du textuel et de l'iconique : le plaisir que le lecteur prend au contact de l'album est d'une autre nature que celui que procure la littérature, le cinéma ou le théâtre. Ce plaisir naît de multiples interférences, voire de la dialectique du discours verbal et du discours iconique.

C'est parce qu'elle est un art total que la bande dessinée acquiert des pouvoirs insoupçonnés.

Notre réflexion se circonscrit donc à l'ensemble des textes narratifs, particulièrement au roman et à la nouvelle, écrits et publiés en français par des auteurs congolais. Nous aurions pu l'élargir aux textes en langues congolaises tels que le roman **Makalamba**[5] de Mampunga Yoka, mais ces textes posent des problèmes d'un autre ordre : ils sont victimes de l'indifférence et quelquefois du mépris des travailleurs intellectuels issus des écoles occidentales ; ils sont totalement exclus des programmes d'enseignement et des grands médias graphiques ; ils sont peu connus du grand public. Tenus dans une situation de marginalisation par rapport aux textes en langue française, ils sont tout simplement ignorés et, à brève échéance, si on n'y prend garde, condamnés à l'oubli[6].

Une situation de marginalisation par rapport aux textes en langue française.

Cette situation de marginalisation, voire d'exclusion est liée à celle des langues congolaises. Ces langues étant pratiquement exclues des différents secteurs de la vie nationale, la littérature qui s'en sert pour s'exprimer ne peut être à son tour que frappée du même ostracisme. N'empêche que cette littérature devra faire l'objet d'un peu plus d'attention de la part des pouvoirs publics et des institutions qui ont mission de promouvoir les langues africaines et les littératures qui en sont issues. Car, comparativement à la littérature écrite en français, celle en langues congolaises, parce que produite en langues naturelles et majoritaires, comme le faisait remarquer Mwatha Musanji Ngalasso au colloque international de Bayreuth en 1993, paraît la plus apte à traduire « *toute la richesse des expressions identitaires et [à] atteindre le public le plus large* »[7].

4. *Op. cit., p. 201.*

5. *Mampunga Yoka,* **Makalamba**, *Kinshasa, Éditions Bobiso, 1976 (roman écrit en lingala).*

6. *Mwatha Musanji Ngalasso, « Des langues pour dire / écrire la littérature au Zaïre », in Pierre Halen et Janos Riesz (éd.),* **Littératures du Congo-Zaïre. Actes du colloque international de Bayreuth (22-24 juillet 1993)**, *Amsterdam / Atlanta, Éditions Rodopi B.V., 1995.*

7. *Ibid.*

Il ressort de ces considérations que nos analyses portent sur un ensemble de textes qui répondent à la demande (mais pas forcément aux attentes) d'un certain lectorat et qui sont tant bien que mal intégrés dans les circuits classiques de l'édition, de la distribution et de la diffusion. Cependant, ces textes écrits en français, bien qu'ils soient les plus répandus, souffrent d'un handicap majeur : ils sont, à l'exemple de la littérature négro-africaine dans son ensemble, confrontés à une extériorité et par conséquent évalués, comme le démontre Christian Petr, sur leur capacité à représenter fidèlement la réalité, mais aussi au regard de leurs positions idéologiques[8]. Et cette extériorité, ainsi que l'indique Petr à propos des romans africains[9], résulte de ce que les textes d'auteurs congolais écrits en français sont, à quelques exceptions près, en relation moins avec le vécu qu'avec des discours. Or, le public congolais attend de la littérature qu'elle exprime sa société dans un langage intelligible et qu'elle dépeigne les scènes et les personnages de sa vie quotidienne. D'où le peu d'intérêt que ce public semble porter aux textes d'auteurs congolais écrits en français. Ce handicap confine la littérature congolaise dans une situation de marginalisation. Il la déterritorialise.

Le public congolais attend de la littérature qu'elle exprime sa société dans un langage intelligible.

Comment réduire la distance entre le public et les textes qui apparemment ont été rédigés pour lui prioritairement ? Comment reterritorialiser la littérature congolaise de langue française ? C'est ici que devra entrer en jeu la bande dessinée. Ce genre est le plus apprécié du public congolais tous âges confondus. Pierre Haffner a raison lorsqu'il souligne que « *la majorité de ceux qui savent lire en Afrique (...) lit de la B.D.* »[10]. Cependant, compte tenu de la précarité de leur

© Mfumu'Eto

8. *Christian Petr,* **Romans d'Afrique**, *Tome I, Ivry, Nouvelles du Sud, 1992, p. 8.*

9. *Ibid.*

10. *Pierre Haffner, « Entre Anyline et Chaka. Remarques sur l'Afrique et la bande dessinée »,* **Rapport final du Séminaire Africana 90 intitulé « L'imaginaire dans le théâtre et la B.D. africaine »**. *La Chaux-de-Fonds, 13/15 septembre 1990, Berne, Commission Nationale Suisse pour l'Unesco, pp. 51-52.*

pouvoir d'achat, les Congolais ont des lieux de lecture privilégiés, les « librairies de trottoirs » ou les « librairies du soleil » et les centres culturels de représentations diplomatiques. Ces lieux demeurent les lieux de lecture les plus vivants et les mieux fournis en bandes dessinées. On y trouve en effet, note Haffner, « *toutes sortes de formats, des albums en vogue ailleurs dans le monde développé, particulièrement en France, Tintin toujours, Astérix, Lucky Luke, Buck Danny, Achille Talon, les Bidochon, etc., aussi des "petits formats", ces B.D. de gare, nourries de violence et d'érotisme, dans lesquelles une sorte d'imaginaire du Nègre ou de la Négresse est fort répandue* »[11]. À ce répertoire, il faudra ajouter toutes les bandes dessinées qualifiées de populaires, souvent mal imprimées et mal brochées, publiées et diffusées localement, qui traitent, dans les principales langues du Congo (lingala, kiswahili, kikongo et tshiluba), de menus faits de la vie quotidienne et qui ont noms *Junior, Mfumu'Eto*, etc. Aussi, forte de son pouvoir de séduction et, partant, de son succès, la bande dessinée devra, tout en préservant sa propre identité, servir de relais entre la littérature et le public. Et cela, au moyen de l'adaptation des œuvres les plus significatives de la littérature congolaise de langue française.

Servir de relais entre la littérature et le public.

Comment adapter la fiction narrative congolaise à la bande dessinée ?

Toute adaptation ou toute transposition du roman à la bande dessinée est une opération sémiologique complexe car une partie de l'histoire se transmue en message visuel et narratif, tandis que l'autre est sous forme de dialogue. C'est ici également que se pose la question de la « fidélité » ou de l'« infidélité » de la bande dessinée à l'égard du texte adapté. Quand on sait que toute adaptation, qu'elle soit cinématographique, théâtrale ou "bédique" pour ne prendre que ces cas, effectue toujours sur le texte-source une lecture particulière dans la mesure où, ne pouvant pas tout montrer, elle privilégie nécessairement tel aspect ou accentue telle séquence, la question de « fidélité » ou « d'infidélité » devient accessoire. Dans le cas de la bande dessinée, une part non négligeable de la narration sera transposée en un ou plusieurs codes : ce sont les récits, les couleurs et les autres signes qui lui sont propres.

En partant de l'idée que l'adaptation n'est pas une reproduction pure et simple du texte de départ et que par conséquent elle nécessite une part de re-création, il nous paraît utile de montrer que la transformation de tout texte narratif en bande dessinée se situe à plusieurs niveaux.

La transformation de tout texte narratif en bande dessinée se situe à plusieurs niveaux.

Au premier niveau, l'histoire racontée est réduite à un scénario qui, tout en lui restant identique, ne retient des actions que leur début et

11. *Ibid.*

leur fin. Cette opération entraîne une sélection au niveau des structures narratives. Mais des ajouts peuvent être effectués : ils concerneront soit l'ensemble de l'œuvre, soit des séquences. Ils constitueront ainsi des éléments d'enrichissement du texte originel.

Au deuxième niveau, la bande dessinée conserve généralement le titre de l'œuvre adaptée. Ce fait est un indice révélateur. À partir donc du scénario et du titre de la bande dessinée, on s'aperçoit qu'il n'y a pas perte d'identité de la part du texte premier, mais que c'est le style de l'écrivain qui fond. On ne retrouvera pas le Hugo de **Notre-Dame de Paris** dans l'œuvre de Roland Chanson. Mais, aujourd'hui, il est plus aisé et plus agréable de lire la bande dessinée de Chanson que l'œuvre de Hugo quelle qu'en soit la puissance verbale et suggestive.

Au troisième niveau, le passage du roman à la bande dessinée réduit le nombre des personnages pour répondre à la nature synthétique du neuvième art. Car, comme au théâtre, la bande dessinée met en présence un nombre assez restreint d'interlocuteurs.

Au quatrième niveau, les répliques à l'œuvre dans le roman sont remplacées pour actualiser le langage : certains récits se transforment en dialogue et inversement.

Ces brèves indications de différenciation montrent les spécificités de chaque genre et les possibilités d'enrichissement mutuel qu'ils s'offrent. Elles conduisent également à penser que les expériences issues de l'adaptation «bédique» des textes narratifs contribueraient à ruiner la traditionnelle hiérarchisation des genres en « genre noble », en l'occurrence le roman et en « genre mineur » constitué par la paralittérature et, à l'intérieur de celle-ci, par la bande dessinée. De telles expériences dynamisent à n'en point douter une des activités de l'esprit, et non des moindres, *la lecture.*

Les spécificités de chaque genre et les possibilités d'enrichissement mutuel qu'ils s'offrent.

Le dessinateur et / ou le scénariste qui chercherait dès lors à adapter en bande dessinée des textes narratifs d'auteurs congolais, devra comprendre que, contrairement aux scénarios qu'il crée à partir de son propre imaginaire, ceux issus de l'adaptation obéissent à d'autres exigences : ils ne restituent pas la totalité des actions romanesques ; ils n'en retiennent que les temps forts. Car comment réduire à quarante-huit pages exigées pour la bande dessinée un texte narratif de cent, deux cents ou trois cents pages si ce n'est en retenant et en restituant l'essentiel du texte de départ. Mais un tel travail suppose de la part du dessinateur et / ou du scénariste une certaine conception de la littérature avec ce que cela comporte d'investissement en matière de lecture pour, enfin, pouvoir négocier le passage du textuel à l'iconique. Il devra fonder ce travail sur le postulat selon lequel sa part de création et de re-création est tout aussi considérable. Il est le producteur d'un nouveau récit, et le scénario qui sert de base à la bande dessinée qu'il produit n'est pas simplement celui du romancier, mais à la fois celui de l'écrivain et le sien propre.

Enrichissement mutuel

Cette étude n'avait pas pour ambition de décrire un corpus déterminé, mais plutôt de formuler, à partir d'un constat de carence, des principes théoriques et méthodologiques à même de baliser tout travail d'adaptation "bédique" des textes narratifs d'auteurs congolais. Quelle qu'en soit la forme, la bande dessinée offre à la littérature la possibilité d'élargir considérablement son audience et aux textes narratifs d'auteurs congolais d'être plus présents sur le marché du livre au Congo, du moins peut-on l'espérer. Si le public a du mal à consommer les œuvres de la littérature congolaise écrite, il reste cependant réceptif à l'image. C'est pourquoi le dessinateur et / ou le scénariste et le romancier devront conjuguer leurs efforts pour que dans un élan de complémentarité, la bande dessinée congolaise se mette au service de la littérature et que la littérature se mette à son tour au service de la bande dessinée pour un enrichissement mutuel et pour le plaisir du texte et de l'image.

La bande dessinée offre à la littérature la possibilité d'élargir considérable - ment son audience.

Mukala KADIMA-NZUJI

Université Marien Ngouabi - Brazzaville

Centre d'Études et de Diffusion de la Littérature Congolaise - Kinshasa

Autres ouvrages de référence (non cités)

BARON-CARVAIS, Annie, **La bande dessinée**, Paris, Presses Universitaires de France, coll. « Que sais-je ? », 1985.

LACASSIN, Francis, **Pour un neuvième art. La bande dessinée**, Paris / Genève, Slatkine, 1982.

RUNGE, Annette et SWORD, Jacqueline, **La B.D. La bande dessinée satirique dans la classe de Français Langue Étrangère**, Paris, CLE International, 1990.

TOCHON, Maurice, « Spécial bandes dessinées », in *Le français dans le monde*, n° 200, Paris, Hachette.

Quand le Margouillat perd son cri :

itinéraire « À Suivre... » du journal de B.D. de la Réunion

Jacques Tramson

Au moment où va sortir le numéro 10 du *Margouillat*, on se souvient qu'en l'an 2000, après une année de cessation de publication, paraissait le 28e et dernier numéro de la revue *Le Cri du Margouillat*, sous-titrée modestement *« La Bande Dessinée à l'île de la Réunion »*. Histoire d'un journal au titre et au format variables.

Le Cri du Margouillat, histoire d'une réussite éditoriale

Modestie réelle, en effet, pour un journal qui, pendant quinze ans, depuis juillet 1986, a été non seulement le moyen d'expression de « Band'Décidée », « Promotion de la lecture et de la création de bandes dessinées à l'île de la Réunion / Association d'éducation populaire et de jeunesse agréée sous le n° 974.97.510 », mais aussi le support de créateurs de toutes les régions proches de la Réunion, Madagascar, Maurice, Mayotte, sans parler d'auteurs venant d'horizons plus éloignés, de la France hexagonale jusqu'au Québec, avec, par exemple, Guy Delisle.

Le support de créateurs de toutes les régions proches.

L'itinéraire du « *C.d.M.* » – ainsi l'appellerons-nous désormais – est exemplaire : ses premiers numéros affichent les caractéristiques traditionnelles des fanzines issus de groupements ou associations divers, avec peut-être l'originalité de ses soixante-huit pages, nombre relativement élevé pour ce type de publication. Mais la maquette, due à Frédéric Fréville, s'inscrit dans le schéma classique de la revue en noir et blanc, sous couverture en couleurs (élémentaires), sur papier journal ; un rédactionnel qui, après l'incontournable éditorial, oscille entre documents – courts – sur les célébrités réunionnaises du passé, informations sur les activités culturelles locales à tendance « branchée », du théâtre « hors les murs » au *hard-rock*, et, outre les inévitables nouvelles ou récits à suivre d'auteurs du cru, des chroniques sur la B.D., celle qui se fait, comment on la fait. Toutefois,

1

1- *CdM* n° 24

plusieurs rubriques – même brèves – manifestent le souci d'une revue qui dépasse le copinage, même s'il est aussi présent dans quelques « *bonnes adresses* », pour signaler l'existence d'associations ou de mouvements qu'on dirait aujourd'hui « citoyens ». Et, bien entendu, de nombreuses pages de B.D., près des deux tiers de chaque numéro, ce qui, avec une B.D. locale presque inexistante, représentait un véritable exploit. La totalité de ces productions était due à des créateurs locaux – ou assimilés, comme Michel Faure qui, après dix ans à Madagascar, allait passer près de cinq années à la Réunion –, sous forme de récits complets d'une à quatre planches, sauf deux récits à suivre, un polar semi-parodique dessiné par Goho, sur scénario de Anpa, alias André Pangrani qui reste l'un des piliers de l'entreprise « *Jerry Scott* », et « *Cher Mobile* », autre récit de détection de D. Payet et Régis. Mais, dès ces premiers mois de publication, on découvrait ceux qui, ensuite, allaient donner au journal sa couleur, les Mad, Huo-Chao-Si, Li-an, Séné, Boby ; même Flo – Florence Vandermeersch, devant se révéler comme la Claire Bretécher réunionnaise –, apparaissait déjà dans le rédactionnel d'informations locales. Certes, la qualité graphique était parfois sommaire ou trahissait des emprunts caractérisés à des auteurs métropolitains, mais ceci fait partie des usages "fanzinesques". Dans le numéro 4, naissait « *Yvan* », une série à suivre entre polar et espionnage de Tehem ne laissant pas vraiment soupçonner ses qualités d'humoriste manifestées dans « Tiburce » – avant l'hexagonal « Malika Secouss », chez Glénat – et, dans le numéro 5, on découvrait les premières planches du **Temps Béni des Colonies**, dues à Hobopok. La première apparition de la couleur sur papier glacé se limitait à des « hors-textes », dans les numéros 9 et 10 de mai et octobre 1992. Mais, à partir du numéro 12 de janvier 1994, en même temps que le papier était plus luxueux, la couleur rehaussait les récits en images, dans la proportion d'une page

La totalité de ces productions était due à des créateurs locaux ou assimilés.

sur cinq environ, pendant que le rédactionnel se réduisait à un cinquième de la revue. C'est dans le numéro 15 qu'apparaissait le premier « supplément gratuit : *Le Marg* », dont nous parlerons plus loin, et, à partir de ce moment, la revue, qui oscillait entre quarante-huit et soixante pages, pouvait se définir comme un des plus luxueux supports de B.D. de la zone francophone, y compris l'Europe.

Un des plus luxueux support[s] de B.D. de la zo[ne] francophone, y compris l'Europ[e]

Son succès qui commençait à dépasser les frontières de l'île était dû à plusieurs éléments : d'une part, la qualité graphique s'était considérablement améliorée au cours des numéros. Ceci était lié, d'une part, à deux phénomènes corollaires : une intense activité de l'association Band'Décidée du côté des stages de formation à la B.D. pour les jeunes, dont la revue accueillait les premières publications – dont certaines fort prometteuses –, et, en soutien de cette action, les interventions de dessinateurs B.D. confirmés de l'Hexagone, donnant à la revue un retentissement plus large, jusqu'au travers du support des festivals internationaux de la B.D. d'Angoulême. D'autre part, dès le numéro 6, la revue « réunionnaise » offrait une assise régionale à sa production, invitant d'abord les créateurs de la Grande Île – donnant lieu à l'édition dans plusieurs numéros consécutifs d'un « cahier malgache » –, puis des auteurs de l'île Maurice, de Mayotte, à partir du numéro 9 de juillet 1992, sans compter les interventions de « coopérants » puis d'hexagonaux divers, voire de francophones

2 - *CdM* n° 1
3 - *CdM* n° 16
4 - *Le Marg* n°1
5 - *Le margouillat* n° 1

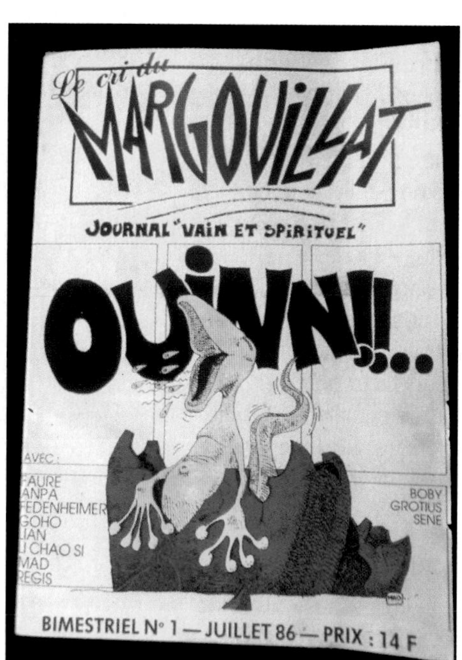

2

© Margouillat

3

© Margouillat

d'Amérique du Nord. Il faudrait encore signaler une activité éditoriale intense qui a permis, à partir de 1996, de lancer la première collection d'albums B.D. de l'océan Indien, grâce aux éditions du Centre du Monde.

Comment s'expliquer alors la mort de la revue avec son numéro 28, daté « An 2000 » ?

Lancer la première collection d'albums B.D. de l'océan Indien.

Le Marg, responsable d'une mort annoncée ?

Dès son premier numéro, ne serait-ce qu'à travers ses publicités – dont une pour « Télé Freedom », l'un des supports médiatiques de l'indépendantisme réunionnais –, ou, plus tard, se revendiquant comme « une presse libre », le *C.d.M.* affichait, dans une région plutôt marquée par la droite modérée, un goût de la contestation qui pouvait parfois frôler la provocation. Son seul numéro Hors Série, « *réalisé sans aucune subvention le 10 Juillet 1993 de midi à minuit dans les locaux du Cri du Margouillat* », manifeste para-politique pour défendre l'Espace Jeumon, lieu de création multiculturel de l'île – où siège son association –, soutenait une

Un goût de la contestation qui pouvait parfois frôler la provocation.

© Margouillat

© Margouillat

candidature visiblement « alternative » par rapport au pouvoir local. Aussi, lorsque son numéro 15, au second trimestre 1995, proposait comme supplément gratuit : « *Le Marg*, Magazine endémique et indépendant à tendance lé la ek sa / Un vrai journal de 8 grandes pages concocté par les auteurs du *Cri du Margouillat* », et que la une de ce journal affichait : « *Après les élections présidentielles et municipales... **Le troisième tour judiciaire*** », le ton était donné. Sans négliger totalement la B.D., généralement représentée par trois ou quatre *strips*, parfois par un article de circonstance, – comme celui sur la mort du grand bédéiste italien Hugo Pratt, dans le numéro 16, la présence du *C.d.M.* à Angoulême, dans le numéro 17 –, *Le Marg* s'affichait comme un journal politiquement engagé qui, tout en privilégiant la réflexion sur les activités culturelles locales, portait des jugements souvent féroces tant sur certains aspects de la politique nationale que sur les particularismes réunionnais. Une de leurs têtes de turc récurrentes étant le PCR, leurs dénonciations de la corruption dans les sphères du pouvoir à Saint-Denis récidivant, il était évident – ou du moins tristement prévisible – que, tôt ou tard, on tenterait de faire taire ce "*Canard Déchaîné*" réunionnais : lorsqu'on connaît la fragilité économique de la presse B.D., surtout lorsque son aire de diffusion est aussi limitée qu'une petite île du bout du monde ; lorsque cette fragilité est augmentée par des engagements dans une politique – onéreuse – de publication d'albums ; malgré l'intérêt esthétique des productions proposées, malgré l'impact culturel de la diffusion hexagonale des créateurs, non seulement de la Réunion mais de l'ensemble de l'océan Indien, il a suffi que la DRAC retarde ses versements et que la Région Réunion et le Conseil Général fassent la sourde oreille aux demandes de l'association Band'Décidée pour qu'après un retard sérieux de leurs publications – revue et albums –, déjà évoqué dès mai 1998, dans un courrier diffusé aux abonnés, s'impose la décision de faire disparaître l'indispensable mais luxueux – et donc dispendieux – *Cri du Margouillat*.

Tôt ou tard, on tenterait de faire taire ce "Canard Déchaîné" *réunionnais.*

Le Margouillat, un espoir de résurrection ?

La revue mourante annonçait sa survie sous la forme d'un journal, tiré à dix numéros annuels. Le premier, publié en juin 2000, manifestait clairement qu'il entendait s'inscrire dans la poursuite de la démarche du *Marg*, reprenant le même sous-titre que celui-ci, avec pour titre : *Le Margouillat*.

Publication de vingt-quatre pages, au format 30 x 40, sur papier journal, comme aux premiers temps du *C.d.M.*, seules les illustrations de première et dernière pages sont en couleurs, sauf toutefois, (impératif économique ?) des publicités sur la double page centrale. Peut-être est-ce à cette « coupure de pub » que nous devons, depuis le numéro 7 de mars 2001, de bénéficier d'une double planche couleurs au centre du journal. La répartition entre rédactionnel et B.D. et / ou illustrations est plus proche de celle du *Marg* que de celle du *C.d.M.*, c'est-à-dire à peu près à égalité. Les auteurs de B.D., piliers de la première publication, sont à l'appel : Tehem, Li-An, Séné – jusqu'à sa mort en avril dernier –, Moniri, Hobopok et d'autres, Manu, Frenchy, Lancelot ; et c'est avec plaisir qu'on retrouve, dans les pages centrales en couleurs, les satires sociologiques de Flo. De plus, annonçant la publication prochaine de **Gaspard**, de Marc Blancher, le premier bédéiste réunionnais, le journal réédite en couleurs quelques-unes de ses planches des années 1970.

Le rédactionnel est, lui, délibérément contestataire mais traité sur le mode humoristique d'un *Charlie Hebdo* moins méchant.

8 - Aimé Razafy, *CdM* n° 6

Ce qui fait espérer mieux qu'une simple survie est que, en l'espace de neuf numéros, un journal un peu triste et gris – même esthétiquement parlant – a repris des couleurs, au propre comme au figuré et, à nouveau, associe à des bédéistes confirmés de jeunes talents. Certes, on n'a pas encore retrouvé le bouillonnement de cultures du *C.d.M.*, mais l'évolution en cours le laisse présager.

Mais cet espoir de survie s'enrichit de l'espérance, qu'à côté du *Margouillat*, d'autres publications participent à leur tour à la création et à la diffusion de B.D. régionales : n'apprenait-on pas, en septembre 2000, la naissance d'un nouveau magazine culturel consacrant une partie de ses pages au genre qui nous intéresse, le trimestriel *Autopsie*, publié à l'île Maurice...

Le Cri du Margouillat est mort ? Vive *Le Margouillat* et ses petits, même illégitimes !

En l'espace de neuf numéros, un journal un peu triste et gris a repris des couleurs.

Jacques TRAMSON
Université Paris XIII - Villetaneuse

« À l'ombre du baobab » : genèse et enjeux d'un projet collectif

Aurélie Gal

La bande dessinée peut véhiculer très efficacement des messages : « À l'ombre du baobab » est le fruit de ce constat. Du Sénégal à Madagascar en passant par la République démocratique du Congo, une quarantaine de dessinateurs ont témoigné sur la santé et l'éducation dans leurs pays. Le meilleur de leur travail est rassemblé dans un album distribué dans les collèges en France tandis qu'une exposition sillonne la France et l'Afrique, tour à tour outil de sensibilisation au développement et outil de promotion culturelle.

La santé et l'éducation en bulles : des messages pour les jeunes d'ici et de là-bas

« À l'ombre du baobab » est né de la volonté de l'association « Équilibres et Populations »[1] de sensibiliser le jeune public aux questions de développement en Afrique. Ici, il s'agit de susciter chez les préadolescents une prise de conscience des problèmes sanitaires et éducatifs que rencontrent les femmes et les enfants africains, la sensibilisation étant envisagée comme un préalable nécessaire à un engagement citoyen. Là-bas, la bande dessinée doit susciter, chez les jeunes, un questionnement sur leurs propres pratiques.

Pour communiquer auprès de cette population, le choix du média était primordial. Les jeunes ne s'intéressent, en effet, souvent au fond, qu'une fois séduits par la forme. Parmi tous les supports envisageables, celui qui est rapidement apparu comme le plus intéressant était la bande dessinée. Elle présente le double avantage d'offrir différents niveaux de lecture et d'être déclinable sous plusieurs formes (album, Internet, exposition...). Et d'aucuns affirment comme Dérib, auteur de plusieurs albums à vocation pédagogique[2], que *« c'est probablement, avec la musique, le meilleur vecteur de communication auprès de la jeunesse »*[3].

1. « Équilibres et Populations » est une association fondée par des médecins et des journalistes pour informer et mobiliser les acteurs du Nord en faveur de l'éducation et la santé dans les pays du Sud.

2. Dérib, **Jo**, *Fondation pour la vie, 1991 ;* **Pour toi Sandra**, *Bruxelles, Éd. Mouvement du nid, 1996 ;* **No limits**, *Bruxelles, Éd. du Lombard, 2000.*

Ajoutons qu'au Sud, l'utilisation de l'image dans les campagnes de sensibilisation a largement fait ses preuves[4]. Elle permet de toucher un large public y compris la population analphabète et rend possible la vulgarisation de messages techniques ou le traitement de sujets tabous.

Nous souhaitions centrer le projet sur l'Afrique francophone. Les plus légitimes pour parler des difficultés sanitaires et éducatives sur le continent étaient les artistes africains. Le cahier des charges que nous leur avons transmis restait volontairement très large : réaliser une bande dessinée d'une à cinq pages sur les problèmes d'éducation et de santé en Afrique, le ton et la technique utilisés étaient laissés à leur libre convenance.

Quand le développement rencontre la culture

Le projet « À l'ombre du baobab » réunit de nombreux acteurs, et aux objectifs de sensibilisation, se sont implicitement greffées des exigences de promotion de la bande dessinée africaine.

Aux objectifs de sensibilisation, se sont implicitement greffées des exigences de promotion de la bande dessinée africaine.

Les premiers partenaires du projet sont les dessinateurs africains. Très difficiles à identifier, ils furent une quarantaine à participer. Il est intéressant de noter le vide bibliographique en matière de bande dessinée africaine. Notre point de départ fut malgré tout une adresse Internet qui nous renvoyait sur les pages du festival de bande dessinée de Libreville au Gabon[5]. On y a trouvé, en effet, une liste des coordonnées des dessinateurs qui ont participé à la manifestation. Nous nous sommes appuyés également sur des structures locales pour relayer l'information. Les centres culturels ont joué ce rôle ainsi que des associations de bédéistes comme « BD Boom » au Gabon, « Mac BD » au Cameroun ou « Acria » en République démocratique du Congo.

Sur le plan institutionnel, «À l'ombre du baobab» a bénéficié d'une collaboration tripartite intéressante entre notre association, l'Agence intergouvernementale de la Francophonie et le Festival international de la bande dessinée d'Angoulême. L'Agence nous apporte un soutien financier et le Festival nous a offert un lieu d'accueil pour l'inauguration de l'exposition ainsi qu'une aide technique. La notoriété de cette manifestation a également été un argument décisif pour convaincre un certain nombre de dessinateurs de participer au projet.

Tous ces partenaires, même s'ils se sont montrés séduits par la vocation pédagogique du projet, n'y voyaient pas là le motif prioritaire de leur soutien. L'intérêt résidait surtout pour eux dans sa capacité de médiatisation des auteurs africains. Ceci est ainsi devenu une deuxième

---

3. V. Dérib, cité in « Message in a bubble », article d'Alain Portner, in Construire *n°39, 26-09-2000.*

4. Une association finlandaise « World Comics », dont l'objectif est de promouvoir l'usage de la bande dessinée dans le développement, a édité un recueil sur les campagnes de sensibilisation en Afrique s'appuyant sur la bande dessinée : Leif Packalen, Frank Odoi, **Comics with an attitude... A guide to the use of Comics in Development Information***, Helsinki, Ministry of Foreign Affairs of Finland, 2000.*

5. http://le-village.ifrance.com/festival-bd-gabon/

composante du projet et un point sur lequel les parrains de la bande dessinée, Jano[6] et Barly Baruti[7], ont largement insisté. Ils ont accompagné les dessinateurs africains dans leurs travaux et ont été les garants de leur qualité artistique.

Le jury de sélection des planches, composé par des représentants du monde pédagogique et artistique, a sélectionné vingt travaux parmi les quarante proposés. Ces travaux ont été rassemblés dans un album et une exposition itinérante.

Dialogues et échanges « À l'ombre du baobab »

Un support po susciter débats interrogations surtout l'envie d'aller plus loi dans la compréhensio des enjeux abordés.

Le projet permet d'amorcer des dialogues en France comme en Afrique sur les questions d'éducation et de santé tout en favorisant les échanges autour de la bande dessinée.

Concernant l'approche pédagogique, ce projet n'a jamais eu la prétention d'apporter des réponses sur les problématiques soulevées, il a été conçu comme un support pour susciter débats, interrogations et surtout l'envie d'aller plus loin dans la compréhension des enjeux abordés. L'album, édité à 15 000 exemplaires, a été distribué dans six mille collèges en France et une centaine de classes l'ont exploité en cours durant l'année. Dans ces classes, il a été le point de départ de discussions et de recherches sur les thèmes de la solidarité internationale, de l'Afrique, des droits humains... Parallèlement, l'association est intervenue dans quelques établissements et des documents ont été distribués aux professeurs pour approfondir les sujets traités. Dans le prolongement de ce travail, un guide d'exploitation pédagogique sera conçu à l'attention des professeurs pour l'année scolaire 2001-2002.

L'exposition itinérante a été inaugurée au Festival international de la bande dessinée d'Angoulême où elle a accueilli six mille personnes. En France, elle continue d'être présentée dans différentes structures (mairies, bibliothèques, festivals...) tandis qu'un autre jeu d'affiches a été adapté pour la circulation en Afrique. Il a débuté son itinérance à Madagascar et la poursuivra, grâce au réseau français de coopération culturelle, en Afrique centrale, durant plus d'un an. Un exemplaire supplémentaire devrait être réalisé pour pouvoir être présenté lors de la première édition du Festival de B.D. « Coco-Bulles » en Côte-d'Ivoire[8]. Il sera ensuite à la disposition des différentes structures

6. *Jano est un dessinateur qui a publié plusieurs albums se déroulant en Afrique (***Sur la piste du Bongo, Wallaye !***). Il a été en 1998 invité d'honneur au festival de Libreville.*

7. *Barly Baruti est le dessinateur des séries « Mandrill » et « Eva K. ». Originaire de l'ex-Zaïre, il y retourne très souvent pour partager son expérience et son savoir-faire avec les dessinateurs locaux.*

8. *Organisé par l'association « Tache d'encre », le festival aura lieu du 2 au 5 novembre 2001 à Grand-Bassam.*

socioculturelles d'Afrique de l'Ouest. Localement, l'exposition est visitée en grande partie par des scolaires et l'animation est assurée par des associations qui s'appuient sur l'outil « À l'ombre du baobab » pour faire passer leurs messages. Les dessinateurs sont également très impliqués, comme le montre cet extrait de rapport écrit par le dessinateur malgache Elisé Ranarivelo : *« Le vendredi 11 mai a marqué le début des ateliers que nous avons animés avec des élèves. Nous avons abordé avec eux les problèmes de santé, d'éducation et de démographie en Afrique subsaharienne en se basant sur les planches exposées de l'album* **À l'Ombre du Baobab**. *Par ailleurs les élèves ont été priés de raconter des histoires courtes axées sur leur vécu quotidien en matière d'hygiène, d'éducation, de coutumes, que nous avons traduites en mini-B.D. Nous avons poursuivi notre mission le samedi 12 mai par la rencontre, dans la matinée, avec les animateurs de différentes ONG à l'Alliance française. C'est ainsi que nous avons discuté, avec une représentante de la Croix-Rouge malgache, une responsable du Ministère de la Population et une représentante d'Aide et Action, du rôle et de l'importance de la B.D. en tant que support et outil de communication dans leurs organismes respectifs. Dans l'après-midi, nous avons procédé à une séance de dédicaces qui a drainé beaucoup de gens. Les ateliers avec des écoliers malgaches ont repris le lundi 14 mai à l'Alliance française. Nous sommes intervenus dans deux classes de dessin pour les initier aux techniques de base de la B.D. et de la caricature et leur faire comprendre qu'à l'instar de l'album* **À l'Ombre du Baobab**, *la B.D. se présente comme un vecteur de message, facile à transmettre et à recevoir (...) »*.

"À l'instar de l'album **À l'Ombre du Baobab**, *la B.D. se présente comme un vecteur de message, facile à transmettre et à recevoir."*

Ce projet a également été à l'origine d'un certain nombre de rencontres professionnelles. Cinq dessinateurs ont pu être présents lors du Festival de la bande dessinée d'Angoulême et quatre autres au Festival « Musiques Métisses ». Les dessinateurs qui ont participé à « À l'ombre du baobab » ne se connaissaient pas tous et ces rencontres leur ont permis d'échanger sur leurs pratiques respectives. Suite à Angoulême, une association « L'Afrique dessinée » a d'ailleurs été créée pour poursuivre le travail collectif initié par « À l'ombre du baobab ». Les festivals ont également été l'occasion pour les dessinateurs d'établir des contacts professionnels dont certains ont déjà porté leurs fruits.

Aurélie GAL

« Les Passagers du vent ».
L'heure du serpent, tome 4
François Bourgeon.
Casterman, 1994.

3

Influences

De manière multiforme, la bande dessinée du Sud échange avec d'autres contrées.
Des « modèles » plus anciens ou des festivals internationaux confirmés influent indéniablement sur des dessinateurs émergents.
L'histoire passée ou présente du continent noir comme les problèmes de développement trouvent dans la bande dessinée un allié influent pour transmettre les messages de mémoire ou d'éducation.

Comics, B.D. et *mangas* : modèles pour l'Afrique ?

Sébastien Langevin

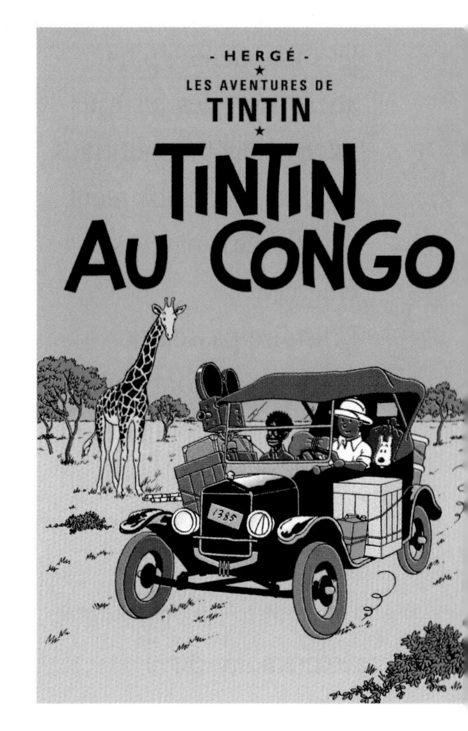

Le développement avéré et multiforme de la B.D. africaine se double d'une quête d'identité bien compréhensible. Entre la création originale et l'utilisation de sources d'inspiration venues d'ailleurs, le point d'équilibre est parfois difficile à trouver. Dans ce domaine comme dans bien d'autres, les termes de l'échange paraissent inégaux. Comment continuer d'exister et de croître dans un contexte peu favorable dans le même temps où les bandes dessinées européenne, américaine et japonaise, connaissent un succès mondial enviable ? Ceci dit, avant de s'exporter, B.D., *comics* et *mangas* ont eu à devenir des médias de masse à l'intérieur de leurs propres frontières, chacun selon des voies bien différentes qu'il convient d'examiner.

Trois aires géographiques connaissent une bande dessinée florissante : le Japon, l'Amérique du Nord, et cette contrée non répertoriée comme telle sur les cartes géographiques que composent la France et la Belgique, tant les productions des deux pays se confondent. Chacune de ces régions a développé une bande dessinée propre. Lorsqu'on compare les productions de ces trois aires géographiques, apparaissent des façons particulières de dessiner, de raconter une histoire, de vendre de la bande dessinée. Outre les différences de style (caricature, dessin réaliste, dessin humoristique...), chaque système a ainsi développé ses canons propres, souvent influencés par un ou plusieurs grands auteurs qui ont imposé leur vision.

Canons thématiques

La connivence entre les auteurs et leur public premier.

En France et en Belgique, deux grands thèmes ont été particulièrement exploités en bande dessinée, illustrés chacun par les plus grandes réussites de la région : l'aventure, qui a pour plus célèbre représentant le Tintin d'Hergé, et l'humour, où excelle l'Astérix de Goscinny et Uderzo. Il faut noter le caractère exceptionnel du succès des exploits du petit Gaulois. L'humour de la série repose sur la connivence entre les auteurs et leur public premier : des personnages reprennent les traits de personnalités du spectacle, de la télévision ou de la politique, et de nombreux gags jouent sur le mode de l'anachronisme ou du détournement d'éléments de la culture populaire française. Mais cela n'empêche pas Astérix de triompher dans le monde entier. Alors qu'elle était à l'origine très fortement marquée par son époque et son lieu de production, cette série est une bande dessinée internationale, qui semble intemporelle. Le dernier album paru en mars 2001, **Astérix et Latraviata**, a ainsi été tiré à huit millions d'exemplaires, dont trois millions en français...

Choisir des adolescents comme héros.

Aux États-Unis, la majeure partie des *comics* est consacrée aux super-héros dont les plus célèbres (Superman, Batman, Spiderman, les X-Men...), sont mondialement connus. Un grand nombre de ces super-héros sont sortis de l'esprit de Stan Lee, scénariste prolixe qui a su non seulement les doter de "super-pouvoirs" pour lutter contre le crime, mais aussi leur forger des psychologies, et leur donner le supplément d'âme nécessaire pour les rendre attachants.

Au Japon, Ozamu Tezuka a donné aux *mangas* un éclectisme que l'on ne retrouve nulle part ailleurs. Il a ainsi dessiné des albums traitant de religion, d'histoire, de science fiction... Et la bande dessinée japonaise poursuit dans cette voie, produisant des histoires de toutes sortes pour tous les publics. Une de ses tendances fortes étant de choisir des adolescents comme héros.

Canons graphiques et narratifs

En Europe, Hergé a imposé son style graphique sous le nom de "ligne claire" : un trait dépouillé avec des couleurs posées en aplats, sans nuance. Selon Hergé, l'extrême lisibilité du dessin se doit d'être le pendant graphique de la clarté de l'histoire. Même s'il s'est entouré de dessinateurs et de scénaristes pour le seconder, Hergé a toujours apporté un soin d'artisan à la fabrication de ses albums. A l'inverse, les *comics* américains sont pour la plupart produits par des studios pour qui la qualité graphique est moins importante que la rapidité d'exécution. Les héros passent de main en main, et peu de dessinateurs arrivent à imprimer leur marque personnelle sur cette production. Pour assurer une homogénéité à sa production, la maison d'édition de Stan Lee, Marvel, a rédigé le **Marvel way of comics**.
À partir de cette charte précise, les dessinateurs mettent en image les scénarii, leur assurant ainsi l'efficacité visuelle requise.

Un point commun unit visuellement B.D. franco-belge et *comics* américains : ils sont la plupart du temps édités en couleur. Au Japon, au contraire, les *mangas* sortent en noir et blanc, sans que le public trouve à y redire. Autre canon graphique des *mangas* : l'existence de stéréotypes graphiques récurrents, comme les grands yeux des personnages. Stéréotypes qui font dire aux amateurs de B.D. franco-belge : *« Les mangas sont tous dessinés de la même façon ! »* La B.D. japonaise joue en fait sur des contraintes formelles très fortes, qui font porter l'intérêt du lecteur sur la manière dont l'auteur s'accommode de ces contraintes, et les utilise au service de son récit. L'originalité, le caractère personnel du graphisme ne sont pas des critères toujours pertinents pour juger un *manga*. Avec les *mangas*, on est proche des contraintes de l'alexandrin poétique, alors que la B.D. franco-belge fait montre d'une liberté de forme comparable au roman.

Avec les mangas, on est proche des contraintes de l'alexandrin poétique.

Canons économiques

Si l'on peut considérer la bande dessinée comme un art, il ne faut jamais oublier que c'est un art populaire. Tant qu'une planche n'est pas reproduite à de nombreux exemplaires et vendue comme telle, elle n'est qu'une bande dessinée virtuelle qui attend son public. En France et en Belgique, la B.D. est en général cartonnée, imprimée sur papier glacé. Les lecteurs de B.D. sont souvent des collectionneurs qui conservent leurs albums dans leur *« B.D.thèque »*.

Au Japon, les habitudes de consommation, et donc le modèle économique de la bande dessinée sont très différents. Un circuit commercial bien rodé permet d'exploiter au mieux les ressources commerciales d'une série. Les œuvres paraissent tout d'abord dans d'énormes périodiques ressemblant à des bottins, imprimés sur du papier de qualité médiocre et très bon marché. Certains, *"heBDomadaires"*, sont tirés à plusieurs millions d'exemplaires. À l'intérieur, plusieurs séries sont à suivre, et une fiche détachable permet au lecteur de voter pour ses séries préférées. Les séries plébiscitées paraissent ensuite en ouvrages reliés. Des albums qui se vendent le plus, sont tirés des dessins animés pour la télévision. Les séries qui connaissent le plus grand succès sont adaptées en OAV (Original Animation Version), films destinés au seul marché de la vidéo. Et pour finir, les OAV les mieux accueillis donnent lieu à des films qui sortiront dans les salles de cinéma. Pas moins d'une douzaine de films ont été tirés de la célèbre série "Dragon Ball" d'Akira Toriyama. Nous sommes là dans l'industrie culturelle poussée à son paroxysme. En 1987, les *mangas* représentaient 25 % de l'édition japonaise, et 80 % des ventes de périodiques. La consommation de *comics* aux États-Unis serait également à rapprocher du modèle japonais, même si la production n'y est pas aussi abondante et variée.

Quels enseignements ?

En touchant au plus juste le particulier, on s'adresse avec d'autant plus de réussite à l'universel.

Les quelques auteurs et exemples schématiques cités ci-dessus n'explorent qu'une petite partie de la production des B.D., *comics* et *mangas*. Leur seule finalité est de montrer que dans ces trois régions géographiques, la bande dessinée est devenue un mode d'expression à part entière selon des modalités bien différentes et le standard franco-belge de l'album cartonné de quarante-quatre planches en couleur n'est pas la seule norme.

Après avoir conquis leur public local, B.D., *comics* et *mangas* ont su s'exporter avec leur particularité. Et c'est parce que chaque type de bande dessinée était précisément ajusté à son public d'origine qu'il a su trouver l'œil et l'esprit d'autres lecteurs. En touchant au plus juste le particulier, on s'adresse avec d'autant plus de réussite à l'universel.

La B.D. africaine, dans son essor relativement récent, s'inscrit dans un mouvement qui la porte à s'inspirer des œuvres produites avant et ailleurs. La diversité des parcours mentionnés dans les exemples précédents doit la conforter dans sa quête pour trouver la forme juste qui convient à son propos. C'est à ce prix qu'elle parviendra à s'exporter et à conquérir d'autres contrées. Enfin – et ceci est loin d'être négligeable – elle doit également développer un modèle économique propre à faire vivre ses différents acteurs (dessinateurs, scénaristes, éditeurs, imprimeurs, distributeurs...).

Le graphisme et les arts plastiques venus d'Afrique ont influencé de façon significative la création artistique contemporaine. Après la statuaire, le masque puis la peinture, pourquoi pas (aussi) la bande dessinée africaine ?

Sébastien LANGEVIN

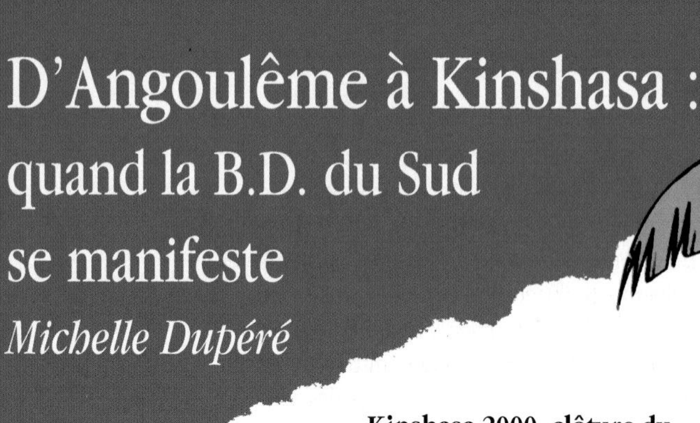

D'Angoulême à Kinshasa : quand la B.D. du Sud se manifeste

Michelle Dupéré

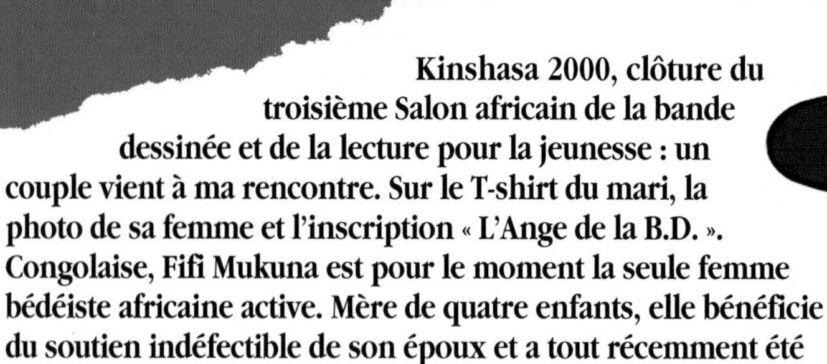

Kinshasa 2000, clôture du troisième Salon africain de la bande dessinée et de la lecture pour la jeunesse : un couple vient à ma rencontre. Sur le T-shirt du mari, la photo de sa femme et l'inscription « L'Ange de la B.D. ». Congolaise, Fifi Mukuna est pour le moment la seule femme bédéiste africaine active. Mère de quatre enfants, elle bénéficie du soutien indéfectible de son époux et a tout récemment été distinguée dans son pays pour son travail de caricaturiste.

Quelle surprise quand on songe que le Festival international de la bande dessinée d'Angoulême a dû attendre 2001 et sa 28ème édition pour être présidé par une femme (la dessinatrice Florence Cestac) !

© Cocobulles

Une place à part

Dans le paysage de la bande dessinée africaine, la République démocratique du Congo occupe une place à part. Sébastien Langevin, dans un précédent article, s'est déjà interrogé sur les causes de cette fécondité kinoise : est-ce l'influence du colonisateur belge ? Est-ce le résultat d'une certaine valorisation du métier d'artiste peintre ?

Le fait est que les bédéistes congolais sont nombreux à se distinguer par leur maîtrise du dessin.

C'est toujours un Congolais, Barly Baruti, qui est l'exemple singulier d'un dessinateur de B.D. africain ayant percé en Europe et qui a sans doute fait des émules : on compte une cinquantaine de bédéistes en République démocratique du Congo.

L'exemple singulier d'un dessinateur de B.D. africain ayant percé en Europe.

Figure de proue de la bande dessinée africaine, il n'a ni renié ses racines ni renoncé à participer activement au développement du genre dans son pays et sur le continent.

Il fut à l'origine de la création, en 1988, de l'ACRIA (Atelier de création et d'initiation à l'art) et continue de s'investir dans cette association nationale de dessinateurs de bande dessinée qui fut la première, en 1991, à lancer en Afrique francophone un Salon de la B.D., par delà les expositions et concours occasionnels organisés jusque là, notamment à Madagascar dès le début des années 1980.

Freinée par la guerre, ce n'est qu'en août 1999 qu'a pu se tenir à l'École des Beaux-Arts de Kinshasa la deuxième édition du Salon, immédiatement suivie, malgré la « conjoncture », d'une troisième édition, accueillie par le Centre Culturel Français à l'automne 2000, et précédée d'un colloque sur la bande dessinée africaine qui s'est tenu au Centre Wallonie-Bruxelles.

Conjuguant rencontres panafricaines et internationales entre bédéistes professionnels (du Congo-Brazzaville, de Belgique, du Bénin, de France, du Gabon, du Niger et du Togo) avec l'animation scolaire (7.000 élèves sur 10.000 visiteurs), sans oublier le traditionnel concours de bande dessinée, le Salon a également mis l'accent sur la formation : un atelier de perfectionnement d'une durée de deux semaines à l'intention de professionnels congolais a été organisé en amont de la manifestation.

Au vu de résultats tout à fait probants, cet atelier, financé par l'Agence intergouvernementale de la Francophonie et animé par le duo Baruti (dessin) Warnauts (scénario), a été prolongé par une deuxième session, en décembre 2000 (troisrois inédits sur le thème commun du vol d'un diamant, produits à cette occasion, figurent dans ce numéro de *Notre Librairie)*. Cette seconde session avait pour objectif la création de projets éditoriaux de qualité adaptés au contexte local car, de l'avis de tous, c'est bien là où le bât blesse. À quoi cela sert-il de former des bédéistes s'ils n'ont aucune chance d'être publiés ?

D'autres images de l'Afrique, qui ne s'attachent pas forcément aux maux de leur société.

Les dessinateurs africains qui arrivent à vivre de leur métier sont, soit caricaturistes pour un journal local, soit embauchés ponctuellement par diverses ONG dans le cadre de campagnes de sensibilisation à tel ou tel problème relatif à la santé, à l'éducation ou aux droits de l'homme.

La plupart des auteurs souhaiteraient offrir aux lecteurs d'autres images de l'Afrique, qui ne s'attachent pas forcément aux maux de leur société, qu'ils soient d'ordre humanitaire ou politique, mais leurs projets originaux ont eu à ce jour peu de chance d'aboutir. Aussi les scénarios existants comportent-ils rarement plus que quelques planches, souvent publiées sous forme d'ouvrages collectifs, de niveau inégal et sans rigueur éditoriale. Ces projets sont plus souvent le résultat d'initiatives ponctuelles menées dans le cadre de coopérations culturelles que celui de la production endogène.

Dans de nombreux pays africains, des associations nationales de dessinateurs de bande dessinée se sont constituées. La circulation des artistes invités à l'une ou l'autre des manifestations continentales devrait progressivement permettre les échanges d'expériences et la mise en réseau de ces associations, facteur d'enrichissement et de reconnaissance de la profession.

De Libreville à Grand-Bassam

Une seconde manifestation francophone, soutenue par l'Union européenne, a connu à ce jour deux éditions au Gabon, en octobre

1998 et en novembre 1999, qui ont chaque fois drainé 10.000 visiteurs. Les « Journées africaines de la B.D. de Libreville » sont issues de l'enthousiasme d'un groupe de jeunes dessinateurs gabonais constitués en association (BD Boom) conjugué avec celui du directeur du Centre Culturel Français Denis Lebeau, lui-même passionné de bande dessinée.

La création d'un site Internet qui constitue un outil documentaire utile.

Cette manifestation, alliant rencontres professionnelles, dédicaces, conférences, ateliers, prix et expositions, a bénéficié de moyens relativement importants qui ont permis non seulement l'invitation d'une vingtaine d'auteurs français, belges et africains (Burundi, Bénin, Cameroun, Centrafrique, Madagascar, Mauritanie, Niger, Tchad) mais également la création d'un site Internet qui constitue un outil documentaire utile prolongeant l'impact de cet événement.

Après avoir enflammé l'Afrique centrale, la fièvre de la B.D. gagne à présent l'Afrique de l'Ouest, qui verra se dérouler en novembre 2001 à Grand-Bassam la première édition du festival Cocobulles, organisé par l'association des dessinateurs de presse et de bande dessinée en Côte-d'Ivoire, « Tache d'encre ».

Forte du succès remporté par le journal de B.D. *Gbich !*, lancé sans aucune aide financière, l'association, en vue de garantir le meilleur déroulement possible du festival, a mis en œuvre une campagne de communication et de recherche active de sponsors, orchestrée par un jeune directeur spécialement recruté à cet effet.

Échanges Nord-Sud

La rareté de la production éditoriale.

Outre des échanges organisés périodiquement entre le Congo-Kinshasa et la Belgique, les rares incursions de bédéistes africains dans le monde professionnel de la B.D. européenne ont constitué le prolongement d'actions ponctuelles initiées dans leurs pays d'origine : en 1986, exposition à Angoulême des œuvres primées dans le cadre d'un concours lancé par le Centre Culturel Français d'Antananarivo et invitation de trois des auteurs malgaches lauréats ; en 1988, invitation de Barly Baruti, lauréat d'un concours organisé à Kinshasa... Cette situation est le reflet de la rareté de la production éditoriale et de son impact sur la création et la professionnalisation des bédéistes.

Face à ce constat, le projet d'exposition de B.D. panafricaines mis en œuvre par l'association française Équilibres et Populations[1], « À l'ombre du baobab », a suscité l'adhésion du Festival international de la bande dessinée d'Angoulême, prêt à en accueillir l'inauguration, ainsi que le partenariat de l'Agence de la Francophonie, attachée à la présence de la B.D. africaine sur la scène internationale et à sa circulation en Afrique.

1. *Voir, dans ce même numéro, l'article d'Aurélie Gal : « À l'ombre du baobab : genèse et enjeux d'un projet collectif ».*

Le projet a dès lors poursuivi un double objectif : sensibilisation du public d'une part, rencontres professionnelles et promotion de la B.D. et de ses créateurs d'autre part. Au regard des réalisations antérieures, le succès de l'opération a dépassé toute espérance : l'inauguration de l'exposition à Angoulême (janvier 2001) a attiré 6.000 visiteurs, nombreux à lire l'intégralité des planches et à exprimer le vœu que soient exploités pour la prochaine édition d'autres thèmes illustrant la richesse de la culture africaine. Le bédéiste béninois Hector Sonon[2], s'est fait à cette occasion le porte-parole du rapport de l'Afrique aux bulles auprès des médias.

L'exposition a ensuite entrepris une tournée en France. Son retour à Angoulême, dans le cadre du Festival « Musiques métisses » (juin 2001), a permis à quatre bédéistes congolais de rencontrer des élèves et d'échanger avec des professionnels français sur leurs méthodes de travail. Ils ont laissé une jolie trace de leur passage dans la capitale mondiale de la B.D. : quatre bulles géantes sur le thème du métissage.

L'exposition itinérante a simultanément entamé une tournée africaine, qui a débuté par la « Quinzaine interdisciplinaire de la bande dessinée à Madagascar » en mai dernier et se poursuivra par une tournée d'un an dans une douzaine de centres culturels français d'Afrique centrale. Afin de permettre sa circulation en Afrique de l'Ouest, un troisième jeu d'exposition sera inauguré en novembre prochain lors du festival Cocobulles. Jusqu'au Liban, qui lui aussi a manifesté son vif intérêt d'accueillir cette exposition à l'occasion du Sommet de la Francophonie en octobre 2001 : c'est dire l'attraction internationale suscitée par la bande dessinée africaine !

Une jolie trace de leur passage dans la capitale mondiale de la B.D.

Nul doute que la B.D. africaine soit engagée dans une dynamique de développement, d'autant plus prometteuse que les sources endogènes d'inspiration foisonnent sur le continent.

La création et la circulation des œuvres se nourrissant l'une l'autre, les festivals jouent un rôle déterminant d'émulation et sont donc nécessaires à l'émergence de la B.D. africaine.

Michelle DUPÉRÉ
Agence Intergouvernementale de la Francophonie

2. *Illustrateur autodidacte et caricaturiste pour le journal* Le Canard du Golfe.

Pédagogie par la B.D. : quels messages ?

Alain Mabanckou

Le développement de la bande dessinée à caractère pédagogique ces dernières années en Afrique, est allé de pair avec une diversification des thèmes abordés. Conscients que la jeunesse est spontanément réceptive à la B.D., qui souvent est le premier contact avec le livre, les auteurs se sont mobilisés, généralement sous l'impulsion des organismes liés à l'éducation, à la santé, à la culture ou aux droits de l'homme.

Le constat est que la B.D. éducative semble répondre à une demande spécifique. D'où le parrainage des organismes comme Médecins du Monde, la Coopération belge, Agir pour le Gabon, l'Agence intergouvernementale de la Francophonie, les ministères de l'Environnement, des Eaux et Forêts, de l'Éducation ou de la Santé, voire des libraires importants comme le Furet du Nord (Lille) ou de la Poste française pour l'album collectif Boulevard Sida**. Cependant, ces initiatives sont pour la plupart coordonnées par les organismes concernés qui sollicitent les auteurs. C'est ce qui explique sans doute la prolifération des albums collectifs en ce domaine... Est-ce à dire qu'ici la générosité des organismes est plus importante ? Il n'y a rien d'étonnant puisque les thèmes abordés touchent la collectivité (sida, environnement, toxicomanie...).**

La lutte contre le sida, un thème dominant

La lecture d'un bon nombre de bandes dessinées à vocation éducative en Afrique, fait apparaître la prépondérance du thème de la santé et surtout de la sensibilisation contre le sida. Plusieurs albums symbolisent d'ailleurs, par leur titre, l'implication des auteurs devant ce fléau du siècle : **Boulevard Sida, BD Boom explose la Capote**. D'autres, même si les titres ne le signifient pas clairement, traitent du sujet : **À l'Ombre du Baobab, Cap sur Tombouctou**...

La prépondérance du thème de la santé et surtout de la sensibilisation contre le sida.

Dans **Boulevard Sida** [1], ce sont des jeunes auteurs qui portent le message. Le Professeur Yves Mouton, parrain de l'album, constate que « *la prévention passe par l'information... La B.D. facilite cette transmission* ». À travers de courtes histoires, **Boulevard Sida** nous apprend les différentes formes de transmission du VIH. L'une des ces histoires, intitulée « L'Innocente », nous plonge dans un vrai drame avec

1. **Boulevard Sida**, *collectif, A.B.D.T Editions, Tourcoing (France), 1996.*

le suicide de la jeune Shaoly lorsqu'elle apprend sa contamination. La note d'espoir est la création d'une association de lutte contre le sida par ses camarades...

Dans le même genre, l'album **BD Boom Explose la Capote**[2] est un ensemble « *d'histoires d'une chaussette tropicale* ». Riche dans la diversité stylistique et la force suggestive des dessins, on peut retenir comme idées principales, celles évoquées par le personnage du sorcier que vient consulter un jeune homme ébahi : « *Pas autre chose pour votre sécurité que LA CAPOTE !* ». Le même sorcier rajoute : « *Votre nouveau gri-gri porte-bonheur... LA CAPOTE !* » L'album réussit une parodie avec le célèbre personnage de Lucky Luke du dessinateur et scénariste récemment décédé, Morris. On voit sur une pleine page trois femmes armées de pistolets et, en face d'elles, un « Lucky Luke » africain avec des capotes autour des reins, sans arme à feu ! Une légende souligne : *"Un bon tireur est toujours prêt..."*

La diversité stylistique et la force suggestive des dessins.

À l'Ombre du Baobab[3], autre album collectif, va au-delà de la thématique du sida puisqu'il couvre aussi la santé de la procréation, les enfants soldats, les violences familiales, les enfants des rues ou le statut des femmes.

À son tour, un personnage très connu de B.D. africaine, Kimboo, se lance dans l'aventure pédagogique dans **Cap sur Tombouctou**[4], en prenant soin d'une prostituée, Malika, victime du sida et traquée par un bandit de grand chemin, Rastaking. Kimboo nous démontre que côtoyer une personne contaminée par le VIH n'est pas source de transmission de la maladie...

L'excision, le toxicomanie, thèmes toujours abordés

La lutte contre l'alcoolisme, le tabagisme et autres toxicomanies est évoquée dans l'album de Joël Moundounga et Ly-Bek, **Plongé dans l'alcool**[5]. Le jeune Jojo est adopté par une tante qui mourra d'alcoolisme dû à la misère. En regagnant le domicile de ses parents, c'est son propre père qui sombre à son tour dans l'alcoolisme. La vie du jeune homme est un cycle infernal. Autour de lui, la déchéance est à son comble. Puis l'album détaille les méfaits de l'alcoolisme.

L'album **Le choix de Bintou**[6], s'attaque à l'excision et aux différentes mutilations génitales en Afrique. L'article 299 bis du code pénal sénégalais est d'ailleurs repris en quatrième de couverture comme un avertissement pour ceux ou celles qui seraient tentés de se livrer à ces pratiques. On voit une femme stupéfaite d'être condamnée à trois ans d'emprisonnement pour avoir fait exciser sa fille...

2. **B.D. Boom explose la Capote !**, *collectif, éditions BD BOOM-GABON, Libreville, 1999.*

3. **A l'Ombre du Baobab**, *éditions Equilibres et Populations/Agence intergouvernementale de la Francophonie, 2000.*

4. **Cap sur Tombouctou**, *Les Éditions d'Ako / NEI, Abidjan, 1999.*

5. *Joël Moundounga et Ly-Bek,* **Plongé dans l'alcool**, *Agir pour le Gabon, Libreville, 2000.*

6. **Le Choix de Bintou**, *éd. Enda Tiers-Monde, Dakar, 1999.*

Connaissance des personnages historiques et contemporains du continent

La vulgarisation des cultures africaines et la connaissance des peuples d'Afrique

La vocation pédagogique de la B.D. trouve à s'exprimer également dans la vulgarisation des cultures africaines et la connaissance des peuples d'Afrique comme l'illustre l'album **Koulou chez les Bantu**[7]. Sur la deuxième page de couverture, on remarque les portraits des personnages historiques et contemporains sous la rubrique « *Quelques grands Bantus* » : Dona Béatrice, Chaka Zulu, Pierre Mulele, Patrice Lumumba, Mirambo et Nelson Mandela. Plus proches de nous : Myriam Makeba, Francis Bebey, Papa Wemba, Manu Dibango, Pierre Akendengué ou Zao. L'album est un voyage au cœur des traditions bantu. On apprend que « *c'est sur la natte que l'homme naît, se nourrit, se repose et meurt. La natte est faite de paille, de jonc, de roseaux entrelacés. La production des nattes a bien diminué depuis que l'on peut trouver des couvertures et des draps* ».

QUELQUES GRANDS BANTU

Problèmes liés à l'environnement et à l'urbanisme

L'Afrique est confrontée aux problèmes d'environnement et d'urbanisation. Les auteurs de bandes dessinées éducatives s'y sont penchés : **Objectif Terre** de Barly Baruti, **Défense d'Ivoire** de Ly-Bek ou **Sokrou ou les méfaits des sacs plastiques**.

Dans **Objectif Terre**, un des personnages, enseignant, illustre la leçon à retenir : « *Nous avons plus besoin de la nature qu'elle n'a besoin de nous. Nous devons protéger notre environnement, le respecter, l'aimer...* ». Les principaux personnages, Sako et Yannick, décident de libérer les insectes qu'ils gardent en captivité. Sako va jusqu'à décrocher du mur une tête de tigre que son père a ramenée d'Asie et la remplacer par un simple dessin d'écolier : « *une image ferait aussi bien l'affaire* », conclut le fils devant son père irrité...

Dans **Défense d'Ivoire**, on retrouve les aventures du héros Samuel Dongala, colonel des Eaux et Forêts. Cette fois-ci, il est chargé par le ministre des Eaux et Forêts d'enquêter sur des réseaux de trafiquants d'ivoire.

Sokrou est un album qui tire son nom « *d'un très beau village perdu entre les collines et la forêt* ». Tout allait si bien dans cette contrée, jusqu'au jour où un autochtone ramène « *ce que l'on utilise comme sac à Cotonou* » : un sachet ! « *Il est moins cher et il sert à emballer l'akassa* ». Les dangers sont vites énumérés par un gamin qui a entendu à la radio que « *les sachets sont dangereux pour la santé et l'environnement* ». Il faut donc revenir aux sacs traditionnels...

Le développement urbain a engendré une criminalité nouvelle dont fait écho l'album **À l'ombre du Baobab**. L'histoire des enfants-soldats Kadogo, chère aux écrivains ivoirien et nigérian Ahmadou Kourouma

7. **Koulou chez les Bantu**, *Les Éditions du Luto, Libreville, 1998.*

et Ken Sarowiwa, est ici reprise avec, au bout, la mort involontaire d'un autre gamin victime d'un mauvais maniement de l'arme à feu par un curieux. L'enfant-soldat revient finalement à la vie normale, avec une conclusion judicieuse : « *Donc, voilà pourquoi j'ai retrouvé la vraie vie d'un enfant avec un cartable et un stylo à la place d'un fusil et de responsabilités qui me dépassaient...* »

Une production en essor, nécessité d'une exigence

La production de bandes dessinées à caractère pédagogique, sans être surabondante, est désormais importante sur le continent africain. La qualité des œuvres reste inégale et la lecture de certaines parfois fastidieuse lorsque le scénario prend la forme d'une morale trop appuyée, susceptible de détourner l'intérêt des jeunes lecteurs. Sans généraliser, certains titres que nous avons lus sont parfois chargés de fautes grammaticales qu'une relecture attentive avant parution aurait pourtant suffi à gommer. La B.D. est une littérature et, à ce titre, elle doit être prise au sérieux aussi bien dans la clarté des iconographies que dans la richesse du récit, d'autant qu'elle jouit d'un engouement auprès de nos jeunes lecteurs. Il reste à solidifier le scénario pour que la B.D., même éducative, ne soit pas essentiellement un livre austère de morale, mais préserve ce côté attractif qui permet aux lecteurs de s'identifier aux personnages mis en scène et donc – de manière agréable et aisée – aux messages qu'ils transmettent...

Une morale trop appuyée, susceptible de détourner l'intérêt des jeunes lecteurs.

Alain MABANCKOU
Grand Prix littéraire de l'Afrique noire 1999

La bande dessinée de fiction historique : deux visions « documentées » de l'Afrique

Jacques Tramson

La bande dessinée, après trop d'images caricaturales de l'Afrique, semble choisir, dans la fiction historique, la voie du réalisme documentaire.

Deux œuvres visant deux moments et deux lieux différents du continent le vérifient. Un récit en cinq albums de François Bourgeon, « Les Passagers du vent », édité par Glénat de 1979 à 1984[1] : les trois derniers, sur le commerce triangulaire, nous intéresseront. Puis un album de quatre-vingts pages, Déogratias, **du belge Jean-Philippe Stassen, édité par Dupuis, en 2000, dans sa collection « Aire Libre », proposant un regard engagé sur le génocide rwandais de 1994.**

Après l'intrigue de ces œuvres, on observera que chacune manifeste des préoccupations documentaires aussi exigeantes que différentes. Puis on s'interrogera sur la vision critique dont elles témoignent spécifiquement.

Deux époques, deux récits...

Bourgeon, après deux volets situés dans l'univers maritime du XVIIIe siècle, engage son héroïne, Isa, et Hoël Tragan, le gabier devenu son amant, à gagner Saint-Domingue, sur les conseils du médecin de marine, Saint-Quentin, compagnon de leurs premières aventures. À bord de la Marie-Caroline, ils découvrent que leur première étape sera l'Afrique car ce vaisseau négrier pratique le commerce triangulaire : les trois albums suivants rapporteront, à travers les yeux du jeune chirurgien du bord, Jean Rousselot, et le journal d'Isa, le scandale de la traite des Noirs. Le voyage s'achève, en

1. *Réédition chez Casterman en 1994.*

Déogratias de Jean-Philippe Stass… Dupuis, 2000.

© Casterman / Bourgeon

« Les Passagers du vent ». Tome 5. **Le bois d'ébène** de François Bourgeon. Casterman, 1994.

dix brèves pages, à Saint-Domingue – occasion pour Bourgeon d'évoquer les conditions de travail des esclaves –, sur la remarque surprise d'Isa : « *Vendredi 29 mars 1782... Ce jour-là, j'ai failli oublier que je n'avais, somme toute, que dix-huit ans... et encore toute la vie devant moi.* »[2]

Ainsi, quoique souvent délétère, le récit est loin du pamphlet désespéré de Stassen. Entre narration objective du présent – après le génocide rwandais – et cauchemar intérieur du « héros » éponyme – avant et pendant –, le graphisme puissant de l'auteur rapporte l'horreur, plus sensible par la conscience qu'en a l'un des bourreaux.

Le graphisme puissant de l'auteur rapporte l'horreur, plus sensible par la conscience qu'en a l'un des bourreaux.

Le faible Déogratias – « *Ils m'ont obligé, tu comprends ?* » –, pour satisfaire ses « frères » hutus, a sacrifié jusqu'aux deux sœurs tutsis qu'il aimait : Bénigne, qui s'était donnée à lui ; Apollinaire, l'inaccessible, qu'il viole sous les compliments de ses compagnons de machettes. Le remords le conduit à la folie : il s'imagine être un de ces chiens dévorant les viscères des cadavres. Quand il ne cherche pas l'oubli dans l'*urwagwa*, la bière de banane, il tente de retrouver la paix en supprimant les complices / témoins de sa dégradation : l'adjudant-chef français qui, en « Zone Turquoise », a couvert les massacres ; les deux meneurs locaux des Hutus, Bosco et Juvénal. Déogratias est arrêté alors qu'il tend le poison au Frère Philippe : ce jeune missionnaire, à l'opposé du Frère Prieur Stanislas – qui a laissé la métisse Apollinaire, sa fille naturelle, aux mains des Hutus –, a sauvé du massacre Marie, la fille du Twa, Augustin, assassiné par Juvénal sous les yeux de Déogratias. La force de Stassen est, entre autres, dans son art de l'ellipse visuelle : en soixante-dix-huit

2. **Le Bois d'Ébène**, *vol. 5, p. 48, dernière vignette.*

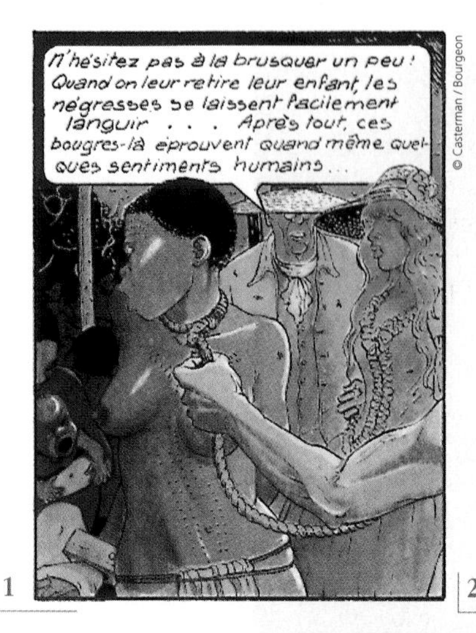

1

2

3

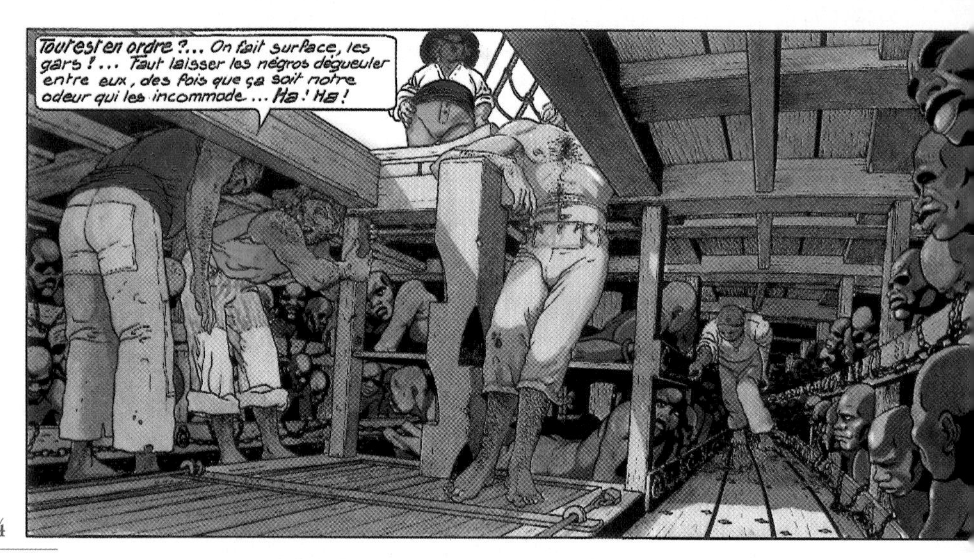

4

« Les passagers du vent » de François Bourgeon. Casterman.

1 - Pratique commerciale et barbarie (**Le comptoir de Juda**, tome 3).
2 - Barbarie ou rituel judiciaire (**L'heure du serpent**, tome 4).
3 - Le Code noir (**Le bois d'ébène**, tome 5).
4 - Le transport des esclaves (**L'heure du serpent**, tome 4).

planches, seules deux vignettes montrent l'horreur du génocide, mais tout la fait ressentir...

Si les événements servant de trame aux deux récits sont bien différents et éloignés dans le temps, on est frappé par des démarches communes aux auteurs. De toute évidence, leurs œuvres sont nourries de références et leurs fictions se fondent sur l'Histoire, passée ou encore dans l'actualité géopolitique immédiate.

Deux visions documentaires...

Bourgeon dit à François Corteggiani avoir consulté, pour une maquette de frégate, « *une documentation assez complète sur la marine [du XVIIIe siècle qui lui a donné l'envie] de l'exploiter* ».[3] Mais les trois derniers volumes manifestent surtout le souci d'axer les aventures d'Isa sur une peinture détaillée de l'Afrique et de la traite.

L'auteur présente les pratiques commerciales des Européens comme des Africains ; propose des aperçus significatifs de leur civilisation à un moment et en un lieu donnés ; suit l'itinéraire des esclaves depuis les marchés jusque sur leurs lieux d'exploitation, sans oublier leurs conditions particulières de transport.

Boisboeuf, commandant la Marie-Caroline, part de Nantes, l'un des cinq grands ports français de la traite. Il va vers Saint-Domingue, haut lieu pour la revente des esclaves, mais aussi celui sur lequel existe une riche documentation iconographique [4]. Les aménagements spécifiques du vaisseau négrier pour le transport des esclaves sont montrés avec précision. Lorsque Boisboeuf accoste au Dahomey, c'est vers « *le comptoir de Juda* » – titre du troisième volume – qu'il dirige son expédition : en pages de garde, un plan détaillé du « *fort Saint-Louis de Juda par l'abbé Bullet, 1776* » rappelle l'authenticité des lieux et de leur représentation. L'auteur montre les tractations que le capitaine mène tant avec les responsables du fort qu'avec les potentats locaux, tout comme les relations avec ses concurrents anglais, entre rivalité commerciale et solidarité d'Européens. Il nous expose la manière dont le roi africain Kpëngla se fait représenter par un de ses grands « *cabécères* » – sorte de ministre, informe-t-on Isa – pour vendre aux Blancs ses ennemis vaincus, selon un rituel codé. Une note en bas de planche indiquant les dates du roi souligne discrètement l'authenticité du personnage. De même, de nombreux traits de la vie africaine sont mis en évidence. Bourgeon parsème son récit de formules ou expressions typiques : ce n'est pas étalage d'érudition, mais volonté d'accréditer la couleur locale authentique et l'information du lecteur est justifiée par l'ignorance d'Isa. Ses déboires permettront à l'auteur d'exposer les dessous de la diplomatie du roi du Dahomey ou des formes de sa justice, semblant barbares, mais qu'attestent témoignages et iconographie. De même, Isa, pour sauver Hoël, découvrira les pouvoirs inquiétants des *vodounôs*, ce qui rend

Bourgeon parsème son récit de formules ou expressions typiques.

3. **Le Passager du Temps**, *Grenoble, Glénat, 1983.*

4. Jean Meyer, **Esclaves et Négriers**, *Paris, Gallimard Découvertes / Histoire, 1986.*

5

Dégratias de Jean-Philippe Stassen. Dupuis, 2000

5 - L'école de la haine ethnique.
6 - Dégratias bourreau ou victime

vraisemblable que la fille de l'un d'eux, Sôsihoué, anime la rébellion des esclaves sur le vaisseau les menant à Haïti, type de révolte rare mais authentiquement attesté. Les pages sur Haïti évoquent, dans les explications complaisantes de Madame de Magnan à Isa, prototype des « colons d'Amérique », le traitement révoltant des Noirs dans les plantations ou les rhumeries... Mais, dans son ouvrage intitulé **Esclaves et Négriers**, Jean Meyer évoquait précisément Saint-Domingue comme un modèle de cruauté[5]. Plus encore, la recherche de Michel Thiébaut, **Les Chantiers d'une aventure, autour des Passagers du vent de François Bourgeon**[6], confrontant images des albums et iconographie, péripéties du récit et témoignages, manifeste qu'histoire et géographie africaines, rites et costumes, décors, outils, armes, voire accessoires ménagers, tout ou presque semble avoir son modèle authentique. L'historien énumère cent cinquante titres documentaires, dont près de cent ont été mis à contribution ou au moins consultés par Bourgeon. Même des détails « insignifiants » renforcent l'authenticité : ainsi,

Même des détails « insignifiants » renforcent l'authenticité.

5. *Ibid., pp. 96-97.*

6. *Tournai (Belgique), Éditions Casterman, 1994.*

Rousselot prie Isa de participer à son enquête pour écrire un mémoire sur « la traite des nègres » à la demande de Saint-Quentin qui « *essaye de recueillir, pour un certain Brissot, un maximum de témoignages sur les différents aspects du commerce négrier* » [7] ; cette formule, qui semble le « prospectus » des trois albums à venir, renvoie discrètement à cet intime de Sieyès, qui « *a symbolisé le parti des Amis des Noirs* » [8]. Bourgeon ne dit-il pas : « *Pour* "Les Passagers du vent", *je lis le maximum d'ouvrages marins, de récits de voyages, de comptes rendus, notes d'archives et j'en passe ! Pour nourrir l'imagination* ». [9]

Avec Stassen et **Déogratias**, non plus l'imagination mais l'indignation est aux commandes : et l'authenticité de cette fiction, malgré certains traits fantastiques, frappe le lecteur. Ce qui est mis à contribution dans cet album est le témoignage. Selon le communiqué de presse de Dupuis, l'auteur « *démontre magistralement qu'il n'est pas seulement un raconteur d'histoires mais aussi un rapporteur de l'Histoire* ». Jean-Philippe Stassen passant six mois au Rwanda, en 1997, « *a pris des notes, inscrit les dates des événements, petits ou grands, qui l'ont marqué* [10] » ; il ébauche des illustrations, dont certaines sur place. Mais c'est après son séjour d'octobre 1999, dans les camps de réfugiés du Burundi et de Tanzanie, qu'il décide d'écrire **Déogratias**. Il a donc associé son témoignage direct à ceux qu'il a recueillis au cours de son enquête ; sa démarche est plus celle d'un journaliste d'investigation que d'un « romancier » en images. Même si le personnage de Déogratias est inventé, combien en a-t-il existé dans la réalité ?

Même si le personnage de Déogratias est inventé, combien en a-t-il existé dans la réalité ?

Le décor de Kigali est authentique ; les événements, au-delà du caractère particulier lié à la fiction, témoignent de la réalité de la tragédie rwandaise. De plus, outre cette conformité globale, telles

7. *In* **Le Ponton**, *vol. 2, p. 48, strip 1, v. 2.*

8. *Yves Benot,* **La Révolution Française et la fin des Colonies**, *Paris, Éditions. La découverte / Textes à l'appui, 1988.*

9. *Op. cit., p. 39, col. 1-2.*

10. *V. Laurence Madani, Préface à* **Déogratias**, *op. cit., feuillet 1 (non paginé), col. 2.*

LE SOLEIL NE ME VEILLE PAS. IL N'Y A PAS DE CHIENS... MAIS LES ÉTOILES SE REFONDENT... COMME DES CLOUS SUR LES CRÂNES... IL N'Y A PAS DE VENTRES...

7

8

Déogratias
de Jean-Philippe Stassen.
Dupuis 2000

7 - Schizophrénie canine.
8 - Graphisme ndébélé (Doc. Info-Junior).

anecdotes, tels portraits de personnages – voir les illustrations précédant le récit – sont arrachés au vécu. Enfin, de nombreuses mentions renvoient le lecteur à un arrière-plan colonialiste et missionnaire où se situe l'explication de l'explosion de férocité de 1994. Même le graphisme de Stassen a une « couleur locale » africaine, rappelant les peintures des enfants ndébélés. D'un témoignage si visiblement engagé, on pourrait craindre des dérapages : mais, selon Laurence Madani, ce que nous découvrons, c'est « *l'Afrique, non pas mythifiée mais magnifiée par le dessin de Stassen* » et, souligne Yves-Marie Labé, « *loin de conspuer ou d'encenser les uns ou les autres, [l'auteur] raconte, avec l'intelligence du cœur, les fruits pourrissants d'un génocide terrible mais lointain, et donc déjà oublié*[11] ».

Ce devoir de mémoire anime, de manière différente, les deux visions de Stassen et Bourgeon sur l'Afrique.

Ce devoir de mémoire anime, de manière différente, les deux visions de Stassen et Bourgeon sur l'Afrique.

11. V. article intitulé « Tragédie Rwandaise » in Le monde des Livres *du vendredi 17 décembre 2000, p. IV, col. 2.*

"Les Passagers du vent" ont un caractère documentaire : l'éloignement dans le temps justifie d'exploiter archives textuelles ou imagées. Mais deux données méritent d'être mises en valeur. D'une part, Bourgeon propose un portrait vrai de l'Afrique : et il y avait du ménage à faire dans l'imagerie du genre, de **Tarzan** à **Tintin au Congo** et autres. Mais, souligne Thiébaut : « *Dans l'histoire qu'il nous raconte, il entend garder les yeux ouverts et ne voit pas pourquoi violer l'Histoire quand il y a tant à apprendre d'elle*[12] ». D'autre part, évoquer la traite, à deux siècles de distance, posait la question du point de vue. L'auteur a choisi celui de l'humaniste érudit. Sans revenir sur l'érudition, le choix d'Isa est particulièrement révélateur. Jeune femme libérée, elle porte sur le statut des esclaves le même regard que sur celui des femmes. Dans un carré d'officiers négriers justifiant la traite, elle tient un discours abolitionniste ; lorsque Kpëngla lui donne une esclave, Alihosi, elle la traite plutôt comme une amie à sa dévotion : même si cela est à contre-courant des mœurs du temps, comme le lui dit Rousselot, et comme en pâtira la jeune noire[13]. Isa tient le discours de nos philosophes du XVIIIe siècle. Mais son regard sur la vie et les usages africains tient de celui de l'ethnologue contemporain : reconnaître et accepter les différences et prendre intérêt à les décrire.

Pour Stassen, ce n'est pas une réflexion rétrospective mais un combat du présent : les procès actuels contre les « génocidaires » le montrent bien. Sans lourdeur démonstrative, il dénonce le colonialisme belge, une politique religieuse visant à effacer les spécificités locales, niant le poids des usages traditionnels, créant des conflits ethniques là où il y avait cohabitation, voire conduisant des populations entières à perdre leurs racines. L'auteur ne parle pas seulement au nom des victimes : il parle au nom des hommes, de leur dignité ; il dénonce l'innommable de la manière la plus digne, sans le montrer, en le faisant ressentir.

À l'issue de ce survol, on constate avec surprise que le titre d'un chapitre du livre de Thiébaut, « *Maîtres, prêtres, esclaves* », pourrait aussi caractériser la dénonciation de Stassen, en remplaçant « esclaves » par « colonisés ». Mais n'est-ce pas la véritable prise de conscience de l'après-colonialisme que d'être capable d'identifier ses responsabilités, fût-ce à travers les âges, en reconnaissant et acceptant l'image de l'autre, fût-il de l'autre continent ?

Jacques TRAMSON
Université PARIS XIII - Villetaneuse

12. *Op. cit., p. 70, col. 1*
13. *In* **Le Bois d'Ebène**, *op. cit., p. 8, strip 1, v. 2 : « Vous avez cru bien agir, mais, sans le vouloir, vous l'avez enfermée dans vos rêves. Son réveil fut brutal ! ... Vous tentez de lutter contre un monde qui vous révolte [...]. Ces sortes de combats se perdent beaucoup plus souvent qu'ils ne se gagnent ».*

François BOURGEON
Le comptoir de Juda
Série « Les Passagers du vent », tome III
Casterman, 1994,
56 pages couleur,
65 FF / 9.91 €

Dahomey, septembre 1780. La « Marie-Caroline », un navire négrier nantais, touche la côte africaine. À son bord, parmi les passagers, une jeune femme de tête et de cœur. Elle s'appelle Isa. Après avoir été ballottée d'aventures en coups du sort, elle a fini par quitter la France pour échapper aux foudres de son père. Elle accepte d'aider le chirurgien de la « Marie-Caroline » à rédiger un mémoire consacré au « commerce triangulaire » en vue de la création, en France, d'une *« société pour la défense et l'émancipation des Noirs »*. Sur place, Isa découvre la réalité quotidienne de l'esclavage. Une réalité en opposition absolue avec sa conception de l'être humain. Car Isa est une femme libre. Elle n'a de cesse de s'affranchir des interdits que la religion et la morale dressent sur sa route. Selon elle, il est temps pour les peuples d'ouvrir les yeux : *« Le plus misérable d'entre les Noirs a le même droit à la vie que le plus puissant des monarques »*, et *« le monde appartient à tous ceux qui y vivent »*. Mais son aspiration à la liberté et au même bonheur pour tous se heurte très vite aux intérêts politiques et commerciaux en jeu sur cette terre d'Afrique. Une terre bien éloignée des idées neuves qui commencent tout juste à percer, là-bas, dans le lointain royaume de France.

Publiée pour la première fois en 1979, la série des « Passagers du vent » ouvre la voie au courant de la bande dessinée dite historique, très en vogue dans les années 1980. La saga, déployée sur cinq volumes, plonge au cœur de la grande aventure. Péripéties en tout genre, rebondissements, figures hautes en couleur, arrière-plan historique rigoureux, dialogues soignés : rien n'est négligé pour embarquer le lecteur loin de son quotidien, en compagnie de personnages attachants s'efforçant tant bien que mal de rester maîtres de leur destin. Et la grâce des héroïnes féminines n'est pas étrangère au succès de la série. Isa et son amie anglaise, Mary, apportent douceur et sensualité à cet univers maritime si masculin, qu'elles viennent perturber et agacer par leur féminité affichée sans complexes. Le souci de réalisme documentaire, exigence constante dans le travail de l'auteur, constitue un autre facteur de réussite des « Passagers du vent ». Travailleur méticuleux, artisan patient, François Bourgeon met un point d'honneur à traduire avec fidélité la réalité de l'époque. Quitte à bâtir lui-même la maquette d'une frégate du dix-huitième siècle en guise de modèle pour ses dessins. Mais ce souci de rigueur historique ne doit pas être un frein à la liberté de la fiction. Ainsi, le personnage d'Isa est, sans nul doute, en avance sur la mentalité de son temps. Femme sans entraves et féministe avant l'heure, sa prise de position contre l'esclavage ne trouve guère d'écho auprès de son entourage. Même le chirurgien de la « Marie-Caroline », à la fin du deuxième épisode de la série (**Le Ponton**), considère la traite comme *« une chose barbare mais, à ce jour, inévitable »*.

Le trait de Bourgeon, sensuel et doux, tout en rondeurs, vient atténuer la dureté des thèmes abordés. Sa volonté d'interpeller le lecteur ne l'empêche pas de le séduire et de le faire rêver. Les courbes de ses bateaux n'ont rien à envier à celles de ses héroïnes. Le dessinateur prend autant de plaisir à modeler la structure d'une frégate et à faire onduler le corps d'Isa. Ses couleurs lumineuses – et même un peu trop fortes, parfois – viennent renforcer cette impression de douceur suggérée par le graphisme. François Bourgeon joue aussi de la composition de la page pour transporter son lecteur au cœur même de l'action : en incrustant dans une image une case plus petite, il accentue un effet de surprise, élargit une perspective ou saisit un personnage en gros plan. Autant d'effets visuels efficaces au service d'une série qui, à l'époque de sa parution, faisait preuve d'un engagement jusqu'alors plutôt rare dans les bandes dessinées prenant pour cadre le continent africain.

Christophe QUILLIEN

Jean-Philippe STASSEN
Déogratias
Dupuis, 2000,
coll. « Aire libre »,
80 p.,
79 FF / 12.04 €

L'histoire commence à Butare, au Rwanda, après le génocide de 1994. Un jeune homme déambule, les bras ballants et l'esprit absent. Son regard est en proie à la démence, ses vêtements déchirés, ses propos incohérents. Il s'appelle Déogratias. Par moments, il s'imagine être un chien. Il a peur de la nuit et sa tête *« est toute pleine de froid »*. Avant, Déogratias vivait comme tous les jeunes de son âge. Mais désormais, sa raison part à la dérive. Il lui faut toujours plus d'*Urwagwa*, la bière de banane. Il lui faut surtout oublier l'horreur. Oublier qu'il a tué de ses mains ses amies Bénigne et Apollinaire. Juste parce qu'elles étaient tutsis. Juste parce que lui, le Hutu, s'est laissé emporter par le tourbillon de haine meurtrière qui s'est emparé de son pays. Alors, Déogratias s'abandonne à la folie. Il se traîne dans les rues, où *« il ne reste plus que des fous, des cadavres et des chiens »*...

Comment dire l'innommable par la bande dessinée ? Jean-Philippe Stassen, auteur d'origine liégeoise né en 1966, s'est posé la question. Amoureux de l'Afrique où il se rend régulièrement depuis quelques années, il séjourne au Rwanda à deux reprises, deux ans après le génocide. Là, l'évidence s'impose à lui : il doit témoigner. Il doit montrer l'humanité des acteurs du drame, qu'ils soient victimes ou bourreaux. Faire comprendre que les morts ne sont pas des masses abstraites, ne se réduisent pas à des chiffres froids et désincarnés, égrenés en une litanie morbide par les bulletins d'information. La bande dessinée ne doit pas pour autant se confondre avec un livre d'histoire : seule la fiction peut laisser entrevoir la réalité. Et, surtout, Stassen n'a pas voulu faire de ses personnages des caricatures, des monstres extrémistes et fanatiques. Mais, bien au contraire, montrer que l'horreur s'est glissée au plus profond de chacun. Le mal revêt le plus souvent la forme de la plus effroyable banalité. Au Rwanda, la majorité des assassins ont obéi aux ordres, à la peur, à la lâcheté. Ou, tout simplement, à leur intérêt. Jean-Philippe Stassen ne rend pas ses personnages sympathiques. Il ne réclame ni l'indulgence, ni le pardon du lecteur. Il s'est simplement efforcé de les humaniser, les religieux comme les militaires, les salauds comme les courageux. Car il faut de tout pour faire un drame.

Son graphisme ne choisit pas, lui non plus, la facilité. Stassen ne montre pas le génocide. Nul besoin de clichés, d'images-chocs et racoleuses. Il n'a pas emprunté la voie du réalisme sordide. **Déogratias** n'est pas une bande dessinée couleur rouge sang : dominée par les tons ocres et par le bleu – le bleu chaud du ciel et celui, glacial, de la nuit, elle privilégie le sens de la nuance. L'album raconte l'avant et l'après, sans qu'il soit nécessaire de s'appesantir sur le génocide lui-même. Présent et passé se distinguent par la seule épaisseur du contour des vignettes. Un procédé simple et discret, sans esbroufe, à l'image de l'ensemble du récit. Le dessin expressif de Stassen est renforcé par un encrage puissant, presque pictural, qui semble fixer ses personnages comme s'ils étaient irréels, à la manière de certains tableaux naïfs. En même temps, ce trait noir appuyé leur donne une épaisseur, une densité, une force qui les rend encore plus présents, encore plus vivants, encore plus humains. Ses couleurs alternent le clair et le sombre, tout comme l'histoire prend brutalement une tournure tragique. L'album et le style graphique de Stassen sont le reflet exact de la vie et des événements survenus en 1994, quand les excès les plus abominables ont surgi soudain du quotidien le plus banal. Dans **Déogratias**, Jean-Philippe Stassen laisse deviner, avec pudeur et talent, toute l'horreur qui se cache derrière le calme apparent de ses planches.

Christophe QUILLIEN

La voiture , c'est l'aventure ! de Barly Baruti. Afrique Editions 1987.

4

Rencontres

Deux entretiens et trois témoignages composent ces rencontres autour de la bande dessinée.
Un dessinateur confirmé et reconnu, une rédactrice en chef aguerrie ainsi que trois auteurs venus de pays du Sud différents nous font part de leur trajectoire riche d'enseignements et porteuse de bien des promesses.

©Planète enfants

« Chemise jaune et pantalon bleu »
Entretien avec Barly Baruti

Propos recueillis par Jean-Pierre Jacquemin

Jean-Pierre JACQUEMIN : *Barly Baruti, vous êtes devenu aujourd'hui un des noms qui comptent dans la « jeune » B.D. française.* ***Mandrill****, le polar réaliste situé dans les années 1950, que vous dessinez chez Glénat sur des scénarii de Frank Giroud, va sur son cinquième album avec un succès croissant. Mais peu de lecteurs de* ***Mandrill****, sauf les fans d'Angoulême, et encore, savent qui vous êtes, d'où vous venez, quelle mouche vous a inoculé le virus. Comment un enfant de Boyoma (Kisangani, RDC) en est-il arrivé à croquer avec un bonheur certain le Paris ou le Rouen rétros des « fifties » ? On aimerait tout savoir de votre trajectoire.*

Barly BARUTI : Mon premier souvenir de B.D., sur les bords du fleuve Congo, ce sont deux couleurs, le bleu et le jaune, – ceux du pantalon et de la chemise d'un illustre cow-boy, Jerry Spring, du maître belge Jijé. Je devais avoir quatre ou cinq ans. Pourquoi cela m'a-t-il tant marqué ? Avec le recul, je pense que c'était le graphisme, à la fois simple et très réaliste. Mais surtout le bleu et le jaune, qu'on retrouve aussi chez Lucky Luke !

La force des premières images... Il faut savoir que je suis né dans une famille d'artistes. Mon père était peintre paysagiste, mon frère l'est toujours. On baignait dans la peinture. L'amour de l'image était omniprésent. Et si vous aimez l'image, vous aimez la B.D., naturellement. On était vraiment tous des fans. Mais je suis le seul de la famille à en avoir fait mon métier. Reconnaissons aussi qu'à l'époque, on trouvait des B.D. facilement, dans les écoles, les bibliothèques de paroisses, et en librairie, pour les plus nantis. Quand j'ai su lire, je me suis jeté sur elles, ainsi que sur les « Bob Morane » et autres « Marabout-Junior ».

Des bandes dessinées belges, surtout ?

Dans les années 1960, on trouvait un peu de tout. Tintin, Spirou, évidemment. Mais aussi des B.D. italiennes et américaines : Mandrake, Texas Bill, Jungle Jim, Akim, Zembla, tout ça... Bleck le Roc, un trappeur canadien... On pouvait les lire gratuitement, on en recevait comme cadeaux, parfois, dans des paroisses. D'où peut-être le préjugé tenace au Congo, encore aujourd'hui, qu'une B.D., ce n'est pas comme un livre, ça se donne, ça ne s'achète pas... Dur pour les dessinateurs !

Quand avez-vous eu l'envie de vous y mettre vous-même ?

C'est venu petit à petit. De toute façon je dessinais et je peignais en famille. Et vers douze, treize ans, à l'école, on était aussi tous mordus de cinéma. Mais le cinéma, c'était cher pour des gosses. Alors les copains me disaient : « Écoute, on va se cotiser pour que tu

...ET LA FERME CONVICTION QU'EN Y METTANT TOUTE NOTRE VOLONTÉ, NOUS POUVONS ENCORE, TOUS ENSEMBLE, SAUVER NOTRE CHÈRE TERRE.
...IL EST TARD, MAIS PAS TROP TARD !
FIN.
30

© Barly Baruti / AGCD

Objectif terre
de Barly Baruti.
AGCD 1994

ailles voir le film et après tu le mettras en dessins pour nous ». Moi, pratique, j'exigeais d'abord qu'ils achètent un cahier quadrillé et puis j'allais au cinéma et ensuite je faisais mon boulot, en couleur, avec des marqueurs. Il y avait beaucoup de personnages avec des chemises jaunes et des pantalons bleus ! C'était l'époque des westerns. J'aimais bien Audie Murphy et puis Franco Nero, Sartana, Django, les westerns-spaghettis, avec beaucoup de ketchup ! Après est venue la vague karaté, kung-fu, Wang Hiu, tout ça... Je me suis imprégné de tout ce que je voyais, plus seulement pour mes copains mais pour nourrir mes propres rêves. En 1973, juste avant la mort de mon père, j'avais déjà dessiné quelques petites histoires personnelles. Mon père les regardait, les commentait et les conservait précieusement. Mais quand il nous a quittés, la grande famille a littéralement vidé la maison. Envolés, mes premiers « chefs-d'œuvre » !

Et après ces premiers travaux ?

Ensuite j'ai essayé une B.D. complète, dont le héros s'appelait Barly (ne me dites pas que c'est narcissique !). Moi je signais BKL, de mon nom complet, Baruti Kandolo Lilela. C'était un récit policier, inspiré des films que je voyais, mais qui se déroulait dans des décors réels de Kisangani. À l'époque *Jeunes pour jeunes*[1] existait déjà mais je voulais m'en démarquer, faire quelques chose qui soit bien à moi. J'ai fait plusieurs histoires de Barly, clandestinement, parce qu'après le décès paternel, mon grand frère ne voulait plus que je dessine. Je les montrais à des amis de la ville qui dessinaient de leur côté. Et puis, comme toujours, le hasard (?) a donné un coup de pouce. Un ostéologue belge, Marc Colyn, était coopérant à l'Université. Mon frère lui a proposé

1. Première revue de B.D. congolaise, lancée à Kinshasa en 1968 par Achille-Flor Ngoie, aujourd'hui romancier publié dans la Série Noire.

ses tableaux. Et Colyn lui en a commandé un ; ce devait être un éléphant. Mais comme mon frère n'était pas à l'aise dans le genre animalier, il a fait appel à moi, j'ai peint le tableau et quand le client l'a reçu, il a demandé quelques retouches, à exécuter chez lui. J'ai donc dû y aller moi-même. Satisfait, le chercheur m'a ensuite commandé une série de croquis zoologiques et puis je lui ai proposé de faire ensemble une B.D. didactique, lui au scénario et moi au dessin. Ça a donné en 1982 **Le temps d'agir !**, un album sur la protection de l'environnement africain, publié par la Coopération belge, en français et en néerlandais, à destination des écoles de Belgique. Pour moi aussi, ce fut une école, une porte d'entrée professionnelle. Des figures imposées, sans doute, où je n'étais pas totalement libre, mais où j'ai appris à maîtriser un style dans des travaux de longue haleine qui ont débouché sur plusieurs albums « de coopération » : **Aube nouvelle à Mobo** (éducation à la pisciculture, 1986), **L'héritier, Le retour** et puis, en 1994, **Objectif Terre !** (plaidoyer pour l'écologie), où j'ai tout conçu, scénario, textes, dessins et couleurs, et où je crois avoir donné, dans le genre, le meilleur de mes capacités.

Et dans un style purement ludique, ligne claire et caricature, on doit aussi citer **La voiture, c'est l'aventure !** *(Afrique Éditions, Kinshasa, 1987), où l'ironie et le farfelu se donnent vraiment libre cours ...*

Oui, je pense avoir deux veines : la satirique et la réaliste, que j'aime bien faire alterner, même si depuis quelques années c'est le réalisme, volontiers féroce, qui l'emporte. Parlant de veine, j'ai eu aussi quelques chances, une chaîne de rencontres précieuses : l'intérêt des centres culturels étrangers, français en particulier, à Kisangani et à Kinshasa, où j'ai « émigré » en 1983 ; les contacts avec Michel Pierre et sa fameuse exposition sur l'Afrique dans la B.D. européenne, ou avec Bob De Moor, patriarche de la B.D. belge, ce qui m'a permis un stage à Bruxelles au studio Hergé ; un concours que j'ai remporté et qui m'a mené à Angoulême ; des collaborations suivies dans *Kouakou* et *Calao* et puis la rencontre fortuite et décisive à Dakar, avec Frank Giroud. Mais tout ça n'est pas arrivé d'un coup, j'ai beaucoup galéré (et je ne suis pas sorti de l'auberge, contrairement à ce que pensent certains). J'ai dessiné des cartes postales, de la pub, des tas de choses alimentaires. Et peu de gens le savent, en Belgique et en France du moins, au moment de la transition de la dictature mobutiste vers une « démocratie » bancale et fantomatique, j'ai réalisé beaucoup de caricatures politiques, à la télévision ou dans le journal de la *Conférence Nationale Souveraine*, en franc-tireur car je n'aime pas être aux ordres. Ça m'a valu des ennuis graves et j'ai dû choisir l'exil en Belgique en 1992. Malgré moi. Et je pense de plus en plus à rentrer au pays ! Je crois que la trilogie "Eva K.", aux Éditions Soleil, **Les hommes du train** (1995), **Amina** (1996) et **Traquenard** (1998)[2], rend bien compte, au-delà du seul aspect « *thriller d'aventures tropicales* », de ce que je pense qu'a subi et subit encore le peuple congolais.

Certains doutent de la vitalité réelle de la B.D. africaine ou la voient comme balbutiante ...

Ils ont tort. Ce qui manque, comme dans bien d'autres domaines, ce sont les moyens matériels d'une vraie professionnalisation : formation, production, diffusion. Mais le talent éclate partout, au Sénégal, au Gabon, en Côte-d'Ivoire, au Tchad, à Djibouti,

2. *Trois albums magnifiques, dans le fond, la forme et les détails.*

« Eva K. » tome 1,
Les hommes du train
de Frank Giroud et
Barly Baruti.
Soleil Production 1995

au Congo-Brazzaville, pour ne citer que les pays où j'ai eu l'occasion d'animer des stages. Mais on ne devrait pas oublier les nombreux bédéistes des pays anglophones. Ni ceux de RDC, bien sûr, autour de l'Acria[3] que j'ai fondé à Kinshasa, mais aussi ailleurs. Les noms doués se comptent par dizaines, Tembo Kash, Pat Masioni, Kizito, Mfumu'Eto, Fifi Mukuna, Asimba Bathy, Tshisuaka, etc. Tous ces talents et beaucoup d'autres devront bien finir un jour par vous mettre la puce à l'œil !

Propos recueillis par Jean-Pierre JACQUEMIN

3. Atelier de Création, Recherche et Initiation artistiques.

La B.D. dans les revues destinées à la jeunesse

Entretien avec Kidi Bebey, rédactrice en chef de *Planète jeunes* et *Planète enfants*

Propos recueillis par Boniface Mongo-Mboussa

Boniface MONGO-MBOUSSA : Planète jeunes *a déjà fait paraître plus de cinquante numéros. La revue a donc atteint sa vitesse de croisière et acquis une notoriété certaine en matière de presse spécialisée. Pouvez-vous nous parler de l'historique de ce bimestriel dont vous avez la charge ?*

Kidi BEBEY : Le véritable lancement de la revue date de décembre 1993, mais le projet qui la concernait est encore plus ancien. Il s'agissait, en un premier temps, d'une rencontre entre enseignants et éditeurs, au cours d'un colloque tenu au Mali, à Bamako, et où la question de l'évolution de la presse pour les jeunes Africains a été abordée. Des personnes du Ministère français de la Coopération et du groupe Bayard Presse s'étaient retrouvées à ce colloque. Le Ministère de la Coopération a confié à Bayard Presse les éléments de cette réflexion en vue de faire des propositions rédactionnelles. Un numéro zéro est paru en avril 1993. Après avoir été testé dans différents pays, et amélioré, le numéro 1 est sorti en décembre de la même année.

À quel moment et comment vous-êtes vous retrouvée rédactrice en chef de cette revue ?

Mon itinéraire personnel se résume en trois mots : enseignement, édition et presse. J'ai d'abord été institutrice et en même temps journaliste pigiste. Ensuite, j'ai fait des études dans le domaine de l'édition, tout en terminant un doctorat en littérature africaine. J'ai travaillé notamment chez Bordas dans l'édition de manuels scolaires. Ce projet de revue *Planète jeunes* était en quelque sorte une cristallisation de mes différents centres d'intérêt. Au départ, Simon N'Jami en fut le rédacteur en chef ; quant à moi j'ai été recrutée au titre un peu étrange de « coordinatrice de la rédaction ». Au bout d'une dizaine de mois, Simon N'Jami, qui était pris par plusieurs projets, est parti, et je me suis donc retrouvée au poste de rédactrice en chef.

Est-ce que, dès le départ, la bande dessinée avait sa place dans Planète jeunes *?*

Absolument, et pour la simple raison qu'il s'agit d'un univers qui se rapproche naturellement des enfants et des jeunes adolescents. Les enfants comprennent la réalité à travers le dessin, et s'expriment eux-mêmes à travers le dessin avant d'écrire. Les adolescents trouvent dans la bande dessinée un imaginaire qui les séduit, dans lequel souvent ils se projettent.

Planète jeunes n° 52
« Les k-libres »

Ainsi, dès les premiers numéros de *Planète jeunes*, nous avions l'ambition de faire figurer de préférence des personnages emblématiques du monde, et en particulier du monde noir (Martin Luther King, Cassius Clay, Nelson Mandela, mais également Gandhi, etc.). Et cette ambition se poursuit aujourd'hui avec *Planète enfants*. Dans *Planète jeunes*, les lecteurs ont maintenant rendez-vous avec des héros qui sont assez représentatifs des rêves de beaucoup d'adolescents, avec de jeunes rappeurs qui ont gagné un prix et font le tour du monde avec leur manager et mentor.

Comment cette bande dessinée est-elle reçue par les jeunes ?

Ils adorent ! Ce groupe de rappeurs qui s'appelle « Les K-Libres » semble très bien perçu par les jeunes. C'est agréable de pouvoir s'identifier à des jeunes qui ont déjà fait un certain nombre de choix de vie, et qui exercent leurs talents avec passion. Ces personnages nous permettent également de faire le lien entre les deux revues. Il s'agit d'une bande dessinée, et c'est important qu'elle puisse stimuler les lecteurs les moins chevronnés. L'approche de la lecture est facilitée par l'image. Il existe donc, entre les « petits » de *Planète enfants* et les adolescents de *Planète jeunes*, ce lien des « K-Libres ». Ce qui est très amusant, c'est d'entendre le discours de lecteurs qui prétendent qu'ils préfèrent les rubriques dites "sérieuses" dans *Planète jeunes*, alors que des études nous ont permis de constater que la plupart d'entre eux commencent la lecture du journal par la fin, donc par la bande dessinée.

Et quelle est la réception auprès des adultes ?

Je crois que la bande dessinée est un univers davantage respecté par les jeunes. Les adultes restent encore souvent méfiants. Il faut leur expliquer qu'une bande dessinée peut être éducative. Dans *Planète enfants* par exemple, nous publions une série toute simple avec deux personnages : « Ka et Ba ». Ka, est méticuleux, propre, rigoureux et Ba, son contraire. Dans le domaine de l'hygiène par exemple, Ka va préparer un repas sans se laver les mains, etc., alors que Ba va réaliser les choses comme il faut les faire. Et dans l'esprit des enfants, la projection va passer par le personnage positif qui va leur apprendre quelque chose à travers une bande dessinée qui leur explique les rudiments d'hygiène, ce qu'un texte ne leur permettrait pas forcément d'acquérir si facilement.

Au niveau du graphisme, comment s'opère le choix ?

Le choix graphique fait toujours l'objet de grandes discussions. Nous avons un directeur artistique, Jean-Louis Couturier, qui est à l'affût de bons illustrateurs et en particulier d'illustrateurs africains, non pas parce qu'il faut absolument être africain pour écrire, peindre, réaliser des choses sur l'Afrique, mais tout simplement parce que la sensibilité est différente, et que le sens du détail va être différent. On ne peut pas juste créer des personnages et les planter dans un décor approximatif. On est attentif à chaque image, à chaque proposition visuelle. Jean-Louis travaille beaucoup avec des illustrateurs africains, mais nous avons aussi dans ce domaine des collaborateurs français. Tout cela enrichit le journal.

Revenons-en au contenu. J'ai été très touché par l'un de vos reportages sur le métissage à Lisbonne.

La rubrique « les jeunes de : ...» est une rubrique phare du journal. Les lecteurs en attendent beaucoup. Elle nous permet de prendre le pouls du lectorat. Aujourd'hui, le monde est à la fenêtre de nombreux jeunes en Afrique à travers la télévision et la radio. L'envie d'images venues d'ailleurs est forte. D'autant plus que voyager reste, pour ces mêmes jeunes, assez rare. Alors on a envie que ce monde vienne vers soi. Envie aussi de se comparer à des jeunes qui vivent ailleurs sur la planète, et qui peuvent, eux aussi avoir des problèmes, des soucis avec leurs profs, leurs parents, des difficultés à imaginer leur avenir...
Et pour revenir sur le métissage, je pense que de plus en plus, il existe des métisses noirs qui se reconnaissent en tant que tels. C'est le cas du musicien congolais Lokua Kanza, qui se définit ainsi : il est né de père zaïrois et de mère rwandaise. Il chante en plusieurs langues et affirme son goût pour certaines musiques qui ne sont pas forcément africaines. Autant d'éléments qui contribuent à composer une identité métisse, un métissage intérieur, si je puis m'exprimer ainsi. Je crois que les jeunes Africains d'aujourd'hui savent souvent beaucoup plus de choses sur le monde que ne le savaient les jeunes des générations précédentes, et cela simplement parce qu'ils sont accrochés à toutes les lucarnes possibles pour connaître l'extérieur et pour savoir comment se situer justement par rapport à ces mondes d'ailleurs.

On a tous été nourris par Tintin, et en particulier **Tintin au Congo**, *et d'une certaine manière, cette bande dessinée a véhiculé (et véhicule encore) certains clichés qui perdurent en Afrique. Comment comptez-vous remédier à ces stéréotypes dans* Planète jeunes *?*

Il est malheureusement vrai que les clichés de Tintin durent encore ! Ce que je veux dire, c'est que les enfants d'aujourd'hui qui lisent Tintin n'ont toujours pas plus qu'hier les moyens intellectuels de prendre de la distance avec ce qui est proposé. Dans **Tintin au Congo** en particulier, l'idée que les Noirs sont de "grands enfants" qui ne réfléchissent pas, ou à peine, qui ont un stéréotype facial assez prononcé, etc., c'est évidemment tout ce qu'on ne veut pas faire dans *Planète jeunes* et *Planète enfants*. Ce que l'on recherche, pour notre part, est plus valorisant pour nos lecteurs : montrer des amis d'un même quartier, qui

Planète enfants n° 17
« Max et Dina »

appréhendent des problèmes quotidiens : la mauvaise note qu'on a eue en classe, comment la faire passer auprès des parents pour qu'ils signent le carnet, comment on gère les rapports aux parents, etc. Ce qui compte, c'est de montrer que les enfants africains vivent des réalités toutes simples d'enfants. C'est pour cela que je suis toujours contente quand je vois que des lecteurs en France de « Max et Dina » se sont investis dans l'histoire sans se poser la question de couleur de la peau des héros.

Qu'est ce que Planète jeunes *vous a apporté sur le plan individuel ?*

Énormément ! Cela fait sept ans que je me lève joyeusement pour aller à mon travail. Même si j'ai fait d'autres métiers que j'ai aimés, j'ai cependant toujours envie d'aller à la rédaction de *Planète jeunes*, parce que c'est un dossier sans cesse en mouvement. Et ce n'est pas facile à réaliser, et je ne suis même pas certaine que ça le sera un jour, d'une part parce qu'il se pose toujours un problème de financement, et d'autre part parce que les destinataires grandissent, changent et qu'il faut être à leur écoute. Rien que cela me demande de faire attention chaque jour. L'autre chose très gratifiante est que les jeunes savent toujours vous rendre ce que vous leur donnez. Il y a à *Planète jeunes* un apport considérable du lectorat. On reçoit énormément de courrier, de l'ordre de quatre cents lettres par mois, ce qui représente à peu près ce que reçoit le magazine *Phosphore* en France en un an. Cela représente beaucoup pour nous. D'abord le fait même d'écrire, surtout quand on est en Afrique. Cela suppose que l'on fait confiance à la rédaction pour prendre au sérieux ce courrier quelle qu'en soit la teneur.

Y a-t-il un aspect essentiel de votre revue sur laquelle vous souhaiteriez revenir en guise de mot de la fin ?

Je voulais juste insister sur le fait que l'on ne peut pas proposer des magazines éducatifs sans se sentir responsable. Quand on a environ 750 000 lecteurs de *Planète jeunes* et environ 250 à 300 000 pour *Planète enfants*, on a cette responsabilité au niveau de la rédaction de développer l'idée d'une jeunesse qui a ses chances, que l'on prend au sérieux, que l'on ne veut pas faire rêver inutilement. Mais on a envie de lui faire donner confiance en elle-même. Cette responsabilité de notre rédaction passe notamment par l'information sur les problèmes de santé publique. Par exemple, nous traitons régulièrement la question du sida, mais aussi des sujets comme le paludisme, l'hygiène et la nutrition, etc. Je trouve que, par rapport à de tels sujets, l'écrit et la B.D. permettent d'évoquer certains aspects dont il n'est pas toujours facile de parler... oralement.

Propos recueillis par Boniface MONGO-MBOUSSA

Élisé Ranarivelo

Madagascar

Souvenirs et projets...

Mes rapports avec le neuvième art existaient avant même de savoir lire. Je me contentais alors des illustrations. Puis, après l'école et pendant les vacances, alors que les différents genres de B.D. importées abondaient dans les kiosques, je reproduisais des héros et commençais également à créer des personnages et à dessiner des portraits. La lecture des albums cartonnés des aventures de Tintin, Astérix, Lucky Luke... m'a poussé, petit à petit, à me spécialiser dans les dessins humoristiques et la caricature.

À l'âge de dix-sept ans, j'ai commençé à écrire des scénarii que j'illustrais moi-même et à fréquenter quelques auteurs de B.D. de la place en allant d'une maison d'édition à une autre. Mais ce n'est qu'en 1982 que j'ai vu une de mes planches publiée pour la première fois dans les pages du *Fararano Gazety*. C'est la maison d'édition Tsileondriaka, qui m'a recruté pour dessiner dans la série « Koditra » (littéralement « Frissons »). J'ai alors créé le personnage du Professeur Mahiratra (Professeur Lucide), un héros qui est passé maître dans l'art de protéger les faibles des forces du mal. J'ai travaillé pour Tsileondriaka jusqu'au grand soulèvement populaire de 1991.

La grève a secoué la vie économique du pays et le marché de la bande dessinée n'a pas été épargné. La B.D. malgache, qui a connu son âge d'or pendant les années 1980, était alors en plein déclin. C'est la raison pour laquelle je me suis orienté vers la presse écrite. Le journal *Kitra* m'a embauché pour illustrer ses colonnes. Puis j'ai quitté *Kitra* en 1994 au profit de l'*Express de Madagascar* où je continue à produire un dessin politique et une bande dessinée de presse quotidiens.

Mon métier de dessinateur de presse ne m'a pas pour autant fait rompre avec mon passé de bédéiste. Je continue à produire des planches utilisées aussi bien sur le plan national qu'international. **Les Présidentielles, L'Empêchement, Les Fonds baillés, Debout en bout, La Faim justifie les moyens** et **Les Planches flottantes** sont des recueils de dessins de presse que j'ai publiés pendant ces six dernières années. Avec Alizé éditions que je viens de monter, je pense "revivre" le bon vieux temps avec mes anciens collègues bédéistes.

Élisé RANARIVELO

LES CRIQUETS, NOS FAUX AMIS!

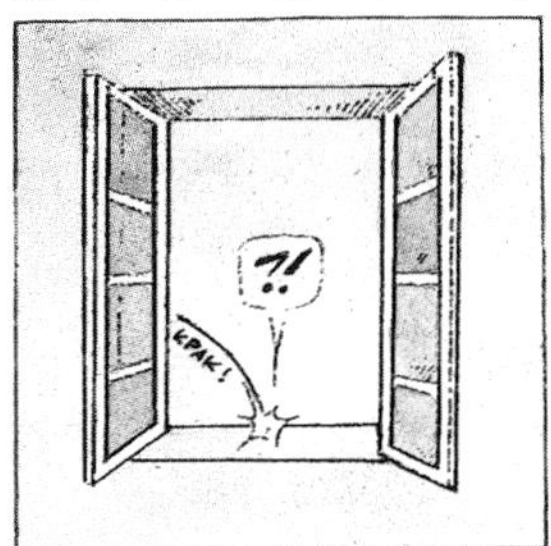

Fifi Mukuna

République démocratique du Congo

© Michelle Dupéré

Les femmes aussi…

Mariée et mère de quatre enfants, je suis la fille d'un diplomate zaïrois et j'ai eu la chance de faire des études primaires en Belgique. Ma vocation pour le dessin s'est affirmée au fil des années, ce qui m'a conduite à l'Académie des Beaux-Arts de Kinshasa, où j'ai obtenu un diplôme d'Arts Plastiques. J'exécute également quelques travaux de graphisme pour gagner ma vie.

Je suis à la fois bédéiste, et caricaturiste depuis 1990 dans des journaux locaux comme *Le Phare, Le Palmarès, Le Grognon* et *Au taux du jour*. J'ai également publié quelques séries de bande dessinée dans des revues spécialisées comme *Africanissimo*, ou dans *Le Numéro un* et *Le Lien*, revue de l'Alliance Franco-Congolaise de Kinshasa.

Le centre Wallonie-Bruxelles de Kinshasa a organisé plusieurs stages de formation en bande dessinée auxquels j'ai participé. J'ai eu la chance d'y côtoyer de grandes signatures africaines et européennes : Barly Baruti, mais aussi Turk, Warnauts, Yohan de Moor, Desberg. En matière de promotion locale, j'ai obtenu les « Calques d'argent » au Grand Prix de la presse écrite, dans la catégorie caricatures.

Le soutien de mon mari dans cette activité est pour moi très important car, trop souvent, la place d'une femme est jugée comme étant singulière dans un environnement encore essentiellement masculin.

La protection et le respect dont je peux bénéficier aujourd'hui ne sont pas le fruit du hasard et, quand il s'agit de « plancher », je le fais comme tout dessinateur le ferait.

Homme ou femme…

Fifi MUKUNA

CHEZ MèRE ZOLA
MEDECINE TRADITIONNE
SOIGNE :
- HEMORROÏDES
- STERILITE
- DIABETE
- SIDA

AIDEZ-MOI, MAMA ZOLA. JE SOUFFRE DES HEMORROÏDES. J'AI DES DOULEURS ATROCES!

TRÈS BIEN, PRENEZ PLACE SUR CE BANC. JE VAIS VOUS FAIRE UN BREUVAGE.

IL PARAÎT QU'ELLE SERAIT UN PEU SORCIÈRE... MAIS JE N'AI PAS LE CHOIX.

TENEZ BUVEZ TOUT D'UN TRAIT. CELA VOUS SOULAGERA DE VOS DOULEURS.

BEURK! IL NE SENT PAS BON VOTRE BREUVAGE.
SI VOUS VOULEZ CONTINUER DE SOUFFRIR, LIBRE À VOUS!

PLUS TARD...
MERCI BEAUCOUP, MÈRE ZOLA. JE ME SENS MIEUX!
© FiFi MUKUNA 2001.

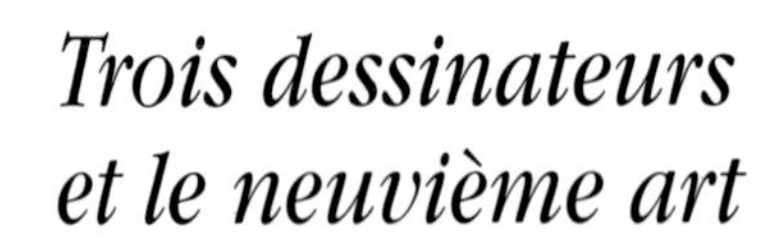

Hector Sonon

Bénin

Mon parcours, mes rencontres...

J'ai découvert le dessin à l'âge de six ans. Ensuite, c'est en 1987 que j'ai publié mes premiers dessins dans le premier journal indépendant du Bénin : *La Gazette du Golfe*. Je n'avais pas le courage de signer, car nous étions encore sous le régime militaire et la liberté de presse restait à conquérir.

Un an après, j'ai rencontré José Marquez et Patricia Chippeaux, tous deux coopérants français et fondus de dessin et de bande dessinée : avec eux naîtra le premier club de B.D. et une revue appelée *le Cafard Enchaîné*, qui publiera mes premières planches.

En 1990, est paru mon premier album qui figure parmi les premières bandes dessinées béninoises. Il s'intitule **Zinsou et Sagbo**.

N'ayant pas les moyens de fréquenter une école d'art, j'ai participé à beaucoup d'ateliers de B.D. animés par de grands auteurs comme Loustal, Jano, Barly Baruti, Franck Giroux, P'tiluc, François Boucq et Christian Cailleaux.

De multiples rencontres avec d'autres dessinateurs et mes participations à différents festivals et salons de bande dessinée m'ont permis, en tant qu'autodidacte, d'acquérir beaucoup d'expérience et d'améliorer mes connaissances sur le plan technique.

À mes yeux, la bande dessinée est un moyen de communication très efficace.

Je pense que l'Afrique regorge de beaucoup d'histoires que les dessinateurs africains peuvent exploiter dans le domaine du neuvième art : ne sont-ils pas les mieux placés pour dessiner et raconter les histoires de leur continent ?

Hector SONON

BON SANG! IL FAUT BIEN QUE JE TROUVE QUELQUE PART OÙ MANGER ET BOIRE.

?!
SANON2000
1

Cinquante titres de bande dessinée

Par Sébastien Langevin et Jacques Tramson

Afrique noire

Joseph AKLIGO (Bénin)
Sokrou, ou les méfaits des sacs plastiques
Cotonou (Bénin) : Les Éditions du Flamboyant, 1998
20 planches en couleur
ISBN : 2-909130-77-0

Lorsqu'un nouveau produit comme le sac plastique arrive dans le village de Sokrou, on lui trouve de nombreuses utilisations. Mais le plastique n'est pas biodégradable, il dégage sous l'effet de la chaleur des matières toxiques qui gâtent les aliments, et il émet des fumées toxiques pour l'homme lorsqu'il brûle... Tout « progrès » n'est pas bon à prendre.

Collectif
À l'ombre du Baobab
Paris : Équilibres et Populations/Agence intergouvernementale de la Francophonie, 2000
50 planches en couleur

Des auteurs de bande dessinée africains parlent d'éducation et de santé. Les enfants soldats, l'éducation, les violences familiales, le statut des femmes et bien sûr le sida sont abordés dans cet album conçu pour dévoiler certaines réalités de l'Afrique aux jeunes du monde entier.

Barly BARUTI et Ani ARYS (dessins), Marc COLYN (scénario)
Le temps d'agir !
Bruxelles (Belgique) : AGCD, 1982
27 planches en noir et blanc

L'évocation du temps où l'homme vivait en harmonie avec la nature, et la dénonciation de la dégradation actuelle de l'environnement. Le dessin réaliste est particulièrement soigné pour la représentation des animaux dans leur milieu naturel.

Barly BARUTI (RDC)
Mohuta et Mapeka : La voiture, c'est l'aventure !
Kinshasa (RDC), Afrique Éditions, 1987
46 planches en couleur

Pour rejoindre la ville, Mohuta et Mapeka n'ont pas d'autre véhicule que Tembo l'éléphant. En chemin, ils croiseront toute une galerie de personnages tous plus loufoques les uns que les autres. Une course-poursuite hilarante à travers la jungle et les villages du Congo démocratique.

Barly BARUTI
Les aventures de Sako et Yannick : Objectif terre
Bruxelles (Belgique) : AGCD, 1994
32 planches en couleur

Un superbe album destiné à sensibiliser les jeunes à l'écologie. Les dessins et les couleurs de Barly Baruti, emprunts de poésie, dressent un tableau touchant de la faune et de la flore africaines, tout en donnant des clefs pour préserver l'environnement.

Kouadio Kouakou BENJAMIN (Côte-d'Ivoire)
John Koutoukou : responsable irresponsable
Abidjan (Côte-d'Ivoire) : CEDA, 1999 (Collection humour)
44 planches en noir et blanc
ISBN : 2-86394-343-X

Coiffé de son chapeau melon, John Koutoukou doit lutter contre un policier malhonnête, répondant au doux nom de Srantê (nom baoulé signifiant « mauvaise personne »). Le grave problème de la corruption est ainsi prétexte à de multiples anecdotes traitées sur un ton léger.

Barly BARUTI
Papa Wemba : Viva la musica !
Kinshasa (RDC) : Afrique Éditions, 1987
48 planches en noir et blanc

L'ascension de Shungu Wembadio, depuis les premiers concerts dans sa cour d'école à Léopoldville, jusqu'au Village Molokaï et aux tournées internationales de Papa Wemba, chanteur culte de toute une génération d'Africains. Un album réalisé à l'occasion du film ***La vie est belle****, de Benoît Lamy et Nzangura Mweze.*

Collectif (Gabon)
BD Boom explose la capote ! Histoires d'une chaussette tropicale
Libreville (Gabon) : BD Boom-Gabon, 1999
47 planches en couleur

Les auteurs gabonais s'en donnent à cœur joie pour promouvoir le préservatif. Des dessins percutants, un langage direct, et un propos libéré des velléités moralisatrices, pour toucher un jeune public qui se reconnaît dans ces saynètes de la vie quotidienne. Une tentative pour enrayer la pandémie de sida en Afrique grâce à l'humour et à la dérision.

Collectif
Boulevard SIDA
Tourcoing (France) : ABDT Éditions, 1996
48 planches en noir et blanc
ISBN : 2-9510693-0-8
25 FF / 3,81 €

De courtes histoires tragiques ou comiques pour montrer les ravages du sida, accepter les malades et, surtout, empêcher que la maladie continue de se propager. Des auteurs malgaches, marocains, béninois, rwandais et français ont collaboré à cet album.

ELCÉ (dessins), Liliana LOMBARDO et NOHÉ (scénario)
Les nouvelles aventures de Kimboo : Cap sur Tombouctou
Abidjan (Côte-d'Ivoire) : Les Nouvelles Éditions Ivoiriennes / Les Éditions d'AKO, 1999
45 planches en couleur

Le célèbre personnage de Kimboo vit de nouvelles aventures, toujours entouré d'Ako le fidèle perroquet, de Kita, sa petite sœur espiègle, et d'Alexis, le gaffeur au grand cœur. Kimboo s'attaque cette fois-ci au sida, à la drogue et à la prostitution. À partir de douze ans.

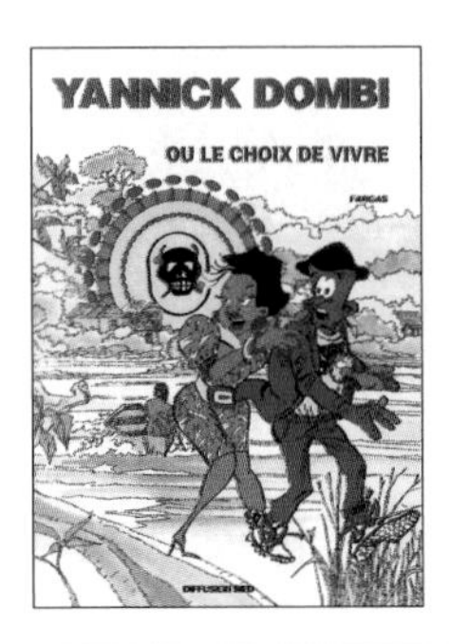

FARGAS (Gabon)
Yannick Dombi, ou le choix de vivre
Libreville (Gabon) : Multipress-Gabon / SIED, 1992
45 planches en couleur

Fargas a conçu une histoire moderne et habile pour parler du sida et de la prise de conscience qui s'opère dans un groupe de jeunes lorsque l'un d'entre eux est touché par la maladie. Le graphisme dynamique et les dialogues très actuels de cet album en font un outil d'information apte à toucher les adolescents.

HODALL BEO (Bénin)
Les zémidjans protestent
Préface de Camille Amouro
Cotonou (Bénin) : Imprimerie COPEF, 2000
8 planches en noir et blanc

Avec un graphisme nerveux proche du dessin de presse, l'auteur, de son vrai nom Hervé Alladaye, caricature le quotidien agité des fameux zémidjans, ces motos-taxis qui sillonnent Cotonou. Ces gags saisis sur le vif sont rassemblés dans un (trop) petit recueil qui donne envie au lecteur d'en lire plus.

Samba FALL (Sénégal)
L'ombre de Boy Melakh
Dakar (Sénégal) : Les Nouvelles Éditions Africaines du Sénégal, 1989
80 planches en noir et blanc
ISBN : 2-7236-1057-8

Un polar à Dakar. Après avoir reçu un important héritage, le pauvre Tialki reçoit la visite du terrible Boy Melakh, pourtant porté disparu depuis de longues années. Usurpation d'identité et vols en série dans une histoire à rebondissements.

FARGAS
Les Rats du Musée
Libreville (Gabon), Centre International des Civilisations Bantu, 1999
14 planches en couleur

Pour faire le plein de Francs CFA, deux petits malfrats se mettent en tête de dérober les œuvres d'art d'un musée. Bien mal acquis ne profite jamais... Une bande dessinée pour lutter contre le trafic des objets d'art en Afrique.

Simon Pierre KIBA (Sénégal)
Otages
Dakar (Sénégal) : Imprimerie NIS, 1990
42 planches en noir et blanc

Mister Yamba, le fameux malfaiteur, s'est évadé de prison, et le lieutenant Hann, du groupement national des sapeurs-pompiers, va devoir intervenir. De camion-citerne volé en prises d'otages, en passant par le braquage d'une banque, les aventures pleines d'action d'un courageux soldat du feu.

Collectif
Koulou chez les Bantu
Libreville (Gabon) : Les éditions du LUTO, 1998
60 planches en couleur

Dans une succession d'histoires en deux planches, cet album évoque les modes de vie, les traditions et les rituels des Bantu. Une visite guidée où sans cesse se mêlent l'héritage séculaire des peuples bantu et les bouleversements apportés par la vie moderne.

Collectif (RDC)
Le retour du crayon noir
Kinshasa (RDC) : Centre Wallonie-Bruxelles Kinshasa, 1996
27 planches en noir et blanc

En trois planches, chacun des six auteurs commence une histoire qui raconte sa vision d'un Congo où se mêlent les affres de la vie moderne et les religions des ancêtres. Un album publié à l'occasion du double anniversaire des dix ans du Centre Wallonie-Bruxelles de Kinshasa et des 100 ans de la bande dessinée.

LY-BECK (Gabon)
La merveilleuse aventure de João
Libreville (Gabon) : ECOFAC, 1998
33 planches en couleur

Le jeune João habite l'île de São Tomé. Il part avec Conceptuella la tortue voir la reine des tortues qui lui montrera combien est difficile l'existence de ces animaux marins. Un album touchant où les couleurs mettent parfaitement en valeur le merveilleux de cette histoire pédagogique.

LACOMBE (Côte-d'Ivoire)
Monsieur Zézé : ça gaze bien bon !
Libreville (Gabon) : Achka, 1989 (collection équateur)
20 planches en noir et blanc

Avec son chapeau mou, sa chemise rayée et ses bretelles, Monsieur Zézé explore les quartiers populaires d'Abidjan. Le graphisme soigné de ces gags en une planche et le franc-parler abidjanais des personnages donnent aux aventures de Monsieur Zézé une vitalité et une saveur des plus réjouissantes.

Laurent LEVIGOT (Gabon)
Soya au grand cœur : un amour de Fifi
Libreville (Gabon) : Achka, 1991 (collection équateur)
20 planches en noir et blanc

Monsieur Soya est un nain chauve qui tombe amoureux de Fifi-la-Jolie, la patronne des « Femmes célibataires révoltées ». Cette maîtresse femme va mener la vie dure au petit bonhomme, et l'amènera jusque devant le maire. Un humour léger pour des gags en deux planches à suivre qui forment une seule histoire.

LY-BEK
L'empreinte de la tortue
Libreville (Gabon) : ECOFAC, 1999
75 planches en noir et blanc

Comment concilier la préservation de la nature et les coutumes ancestrales ? Cet album s'adresse aux pêcheurs du littoral du golfe de Guinée pour les informer sur les risques de disparition des tortues marines, et pour promouvoir l'utilisation rationnelle des ressources naturelles.

LY-BEK
Défense d'Ivoire
Libreville (Gabon) : ECOFAC, 2000
29 planches en noir et blanc

Samuel Dongala, colonel des Eaux et Forêts d'un pays d'Afrique centrale, se voit confier la délicate mission de démanteler un réseau de trafic d'ivoire. Il devra aller chercher les trafiquants jusqu'au sommet de l'État... Une histoire bâtie comme un roman d'espionnage et agrémentée d'action pour cette B.D. de sensibilisation à la protection des éléphants.

ADJI MOUSSA (Tchad)
Les Sao, tome I
Imprimerie du Tchad
50 planches en noir et blanc

Dans les temps mythiques, trois géants venus du Proche-Orient, les Sao, s'installent au Tchad et rencontrent les peuples déjà établis là. La mythologie et l'histoire se rencontrent dans cette bande dessinée qui s'inspire d'un fantastique africain inventif.

El Hadj Sidy NDIAYE (dessins), Aly Sidy Mbar FAYE (couleurs), Yann N. DIARRA (scénario) (Sénégal)
Le choix de Bintou
Dakar (Sénégal) : Enda tiers-monde, 1999
26 planches en couleur
ISBN 92-9130-027-6

Un album contre les mutilations sexuelles féminines. L'excision est désormais punie par la loi au Sénégal, mais dans de nombreux villages, cette pratique perdure. Bintou se pose en ennemie de l'excision, mais la tradition est forte, et l'une de ses amies est victime des pressions familiales.

Joël MOUNDOUNGA et LY-BEK (Gabon)
Plongé dans l'alcool
Libreville (Gabon) : Agir pour le Gabon, 2000
20 planches en noir et blanc

Le père de Jojo est alcoolique. La mère de Nadia aussi. Ensemble, les deux adolescents iront voir un médecin spécialiste qui les aidera à convaincre leurs parents de suivre une cure. Une bande dessinée d'information et de sensibilisation qui montre la brutale réalité de l'alcoolisme.

El Hadj Sidy NDIAYE (dessins), Aly FAYE (couleurs), Karine SALEH (scénario) (Sénégal)
Farafina Express
Dakar (Sénégal), Enda-Éditions, 1998
90 planches en couleur
ISBN : 92-91-30-023-3

Le long périple de Bab's de Dakar à Kinsahsa, en passant par Bamako et Douala, pour retrouver son grand oncle souffrant. Au fil des aventures de Bab's, des séquences pédagogiques sont habilement disséminées dans cet album à la fois distrayant et instructif.

MONGO SISÉ (RDC)
Bingo à Yama-Kara
Bruxelles (Belgique) : AGCD, 1982
30 planches en bichromie

Bingo est une sorte de Tintin africain, comme en attestent le petit chien blanc qui le suit régulièrement et le dessin ligne claire résolument hergéen. Dans son village de Yama-Kara, Bingo s'implique dans la gestion de la toute nouvelle coopérative agricole. Mais des jeunes du village tentent de lui mettre des bâtons dans les roues...

MONGO SISÉ
Les aventures d'un enfant africain : Bingo en Belgique (ou l'interdépendance)
Bruxelles (Belgique) : AGCD, 1983
30 planches en bichromie

Bingo est invité en Belgique par André, l'agronome qui rentre chez lui après avoir travaillé deux ans à Yama-Kara. C'est l'occasion pour Bingo de s'intéresser aux échanges commerciaux Nord-Sud.

MONGO SISÉ
Bingo au pays Mandio (ou la lutte contre la désertification)
Bruxelles (Belgique) : AGCD, 1984
37 planches en bichromie

Bingo et son cousin Mpeya vont passer leurs vacances au pays Mandio, chez leur grand-père, le chef Kidingo. Là-bas, la désertification progresse, et le bois indispensable pour faire la cuisine et se chauffer la nuit vient à manquer. Une équipe de scientifiques belges vient au village pour lancer une campagne de reboisement. Même s'ils plantent des variétés d'arbres à croissance rapide, il n'y aura du bois de chauffe que dans quelques années...

ZOHORÉ (Côte-d'Ivoire)
Le SIDA, et autres affaires le concernant
Abidjan (Côte-d'Ivoire) : CEDA, 1997
37 planches en noir et blanc
ISBN : 2-86394-288-3

Parce que le SIDA n'est pas un Syndrome Inventé pour Décourager les Amoureux comme d'aucuns semblent le penser, mieux vaut toujours porter un « protège-tibias » (un préservatif) lors d'un rapport sexuel... L'adultère, la prostitution et l'insouciance généralisée croqués avec un humour parfois grinçant par Zohoré, désormais pilier du magazine Gbich !. *Recueil de dessins parus dans le quotidien abidjanais* Fraternité Matin.

Caraïbes

BRUNO, COCOON ké FAB DEE MOE's
Lavantir Mèt Doko
Petit-Bourg (Guadeloupe) : Ibis Rouge Editions, 1998
95 pages

Sur fond de dolo (proverbe), toute l'histoire tourne autour de la vie d'une cité : Kaz Kayenn. Un vieil homme, Gran pa Dolo (conteur), arrive dans un village et le soir raconte l'histoire de Kaz Kayenn, cité multiraciale et multiculturelle, et de ses habitants, notamment d'une petite famille guyanaise dont le père surnommé Doko, fonctionnaire bon à rien, se targue de philosopher et joue les jolis cœurs pendant que son épouse se tue à la tâche ...

PANCHO (Martinique)
Chronique
Fort-de-France (Martinique) : Éditions Exbrayat, 2 vol. publiés, 1989-1990
52 pages en noir et blanc chaque vol.

La même vision décapante de l'actualité que dans Pa Ni Pwoblem, et, actualité oblige, en insistant davantage sur les questions électorales, objet de dénonciation où le scandaleux le dispute au dérisoire.

PANCHO
Pa Ni Pwoblem
Fort-de-France : B.D. Soleil, 3 vol. publiés, 1985
64 pages en noir et blanc chaque vol.

Une vision acide mais toujours drôle de l'actualité, majoritairement martiniquaise, avec parfois des débouchés sur les grands sujets nationaux, traités avec allégresse en récits d'une planche où le dessinateur n'hésite pas à s'autocaricaturer pour mieux tourner en dérision les problèmes évoqués.

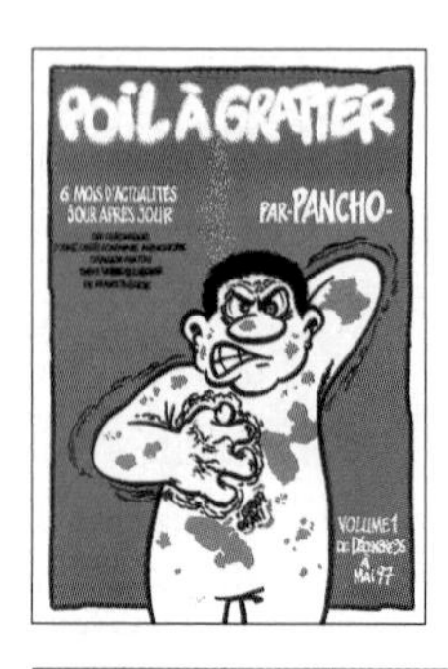

PANCHO
Poil à Gratter
S.l. (Martinique), Quadra Editions, 1997
Non paginé, en noir et blanc, 2 volumes

Sur l'actualité la plus récente, le regard toujours étonnamment caustique de Pancho inscrit, cette fois, les réalités sociales et politiques de son île à travers une série de courts récits en un strip de 4 ou 5 vignettes. Politiquement corrects, s'abstenir.

Maghreb

Collectif
Algérie, la douleur et le mal
Wissous (91) : Amok Éditions, 1998
Non paginé, en noir et blanc

Une série de récits de 8 à 10 planches d'auteurs francophones de France, de Belgique, d'Algérie, qui évoquent le tragique de la condition algérienne contemporaine, tantôt à travers des anecdotes minimales empruntées au quotidien, tantôt en évoquant les drames de l'actualité.

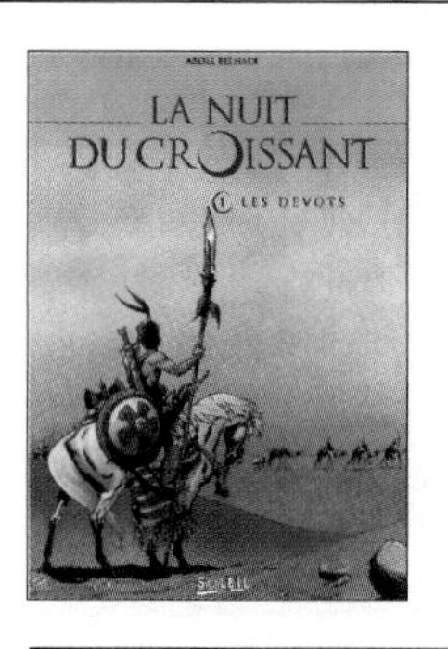

Abdel BELHADI
La Nuit du Croissant
Toulon : Soleil Productions, 1995
46 pages en couleur

Ce premier volume, non encore suivi d'autres, propose une épopée historique, contemporaine de l'époque des croisades, toutefois opposant non pas chrétiens et mahométans mais Islam tolérant et Islam intégriste, à travers la belle figure d'un poète humaniste, explicitement inspiré du persan Omar Khayam. Graphisme pictural superbe et qualité littéraire assurée.

Farid BOUDJELLAL
Le Beurgeois
Toulon : Soleil Productions, 1997
44 pages en couleur

Satire féroce d'un « beur » tellement intégré à la société française qu'il en reproduit tous les défauts au niveau suprême, oubliant ses racines et jusqu'aux comportements humains les plus normaux dans la référence constante à ses intérêts financiers. Peinture d'un racisme à rebours où l'on retrouve, en plus caricaturaux encore, les traits qui caractérisaient déjà la série « Juif-Arabe » du même auteur.

Farid BOUDJELLAL
Petit Polio
Toulon : Éditions Soleil, 2 vol., 1998-1999
48 pages en couleur chaque vol.

Un jeune beur, le « petit polio » éponyme, et sa famille immigrée, les Slimani, dans une France méridionale multi-ethnique découvrent, en même temps, les discours du Général de Gaulle et les débuts de la guerre d'Algérie. Le regard de l'enfant, déjà amateur de B.D., trahit, non sans humour, son désarroi à la rencontre du racisme.

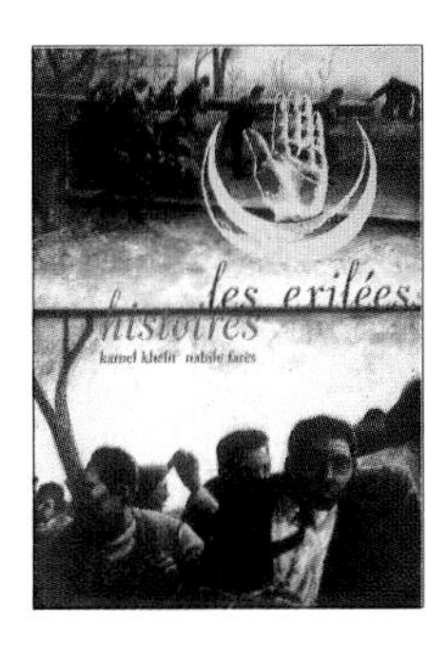

Kamel KHELIF, Nabile FARES
Les Exilées, Histoires
Wissous (91) : Amok Éditions, 1999
64 planches en noir et blanc

Deux récits, « La Disparition des Mères, Alger 1968 », et « La Légende de Leila Fatma, Marseille, 1989 », constituent une plongée tragique dans la mémoire d'une Algérie déchirée entre son passé de colonie, son présent politique agité et la destinée de ses enfants perdus, entre Maghreb et exil en France. Le graphisme est à la hauteur de la narration.

Collectif
Nous sommes les Maures
Wissous (91) : Amok Éditions, 1999
Non paginé, en noir et blanc

Ce cinquième volume de la collection « Cheval sans Tête » propose plusieurs récits sur l'Algérie d'aujourd'hui, dus à la collaboration de créateurs maghrébins comme Kamel Khélif et Nabile Farès, et européens francophones dont Ferrandez auparavant auteur de **Carnets d'Orient** *(superbe saga sur l'Algérie de sa colonisation à l'aurore de la guerre d'indépendance).*

Océan Indien

David BELLO
Elize ou les Machins Bleus
Saint-André (Réunion) : Clip/ARSTC, 1994
94 pages en noir et blanc

Premier album d'une découverte de la revue Le Cri du Margouillat. *Les aventures de bandes de jeunes rivales à Saint-Denis de la Réunion, montrant le pouvoir de l'amitié et de l'amour sur la violence, traitées dans un registre manga, sur un mode à la fois sociologique et romantique.*

Michel FAURE, Daniel VAXELAIRE
Aventures dans l'océan Indien, vol. II : La Fin de La Buse
Saint-Denis (Réunion) : Arts Graphiques Modernes, 1979
54 pages en couleur

Par un métropolitain ayant vécu quinze ans dans l'océan Indien, une épopée maritime et politique sur un authentique pirate ayant défrayé la chronique – et dont on cherche encore le trésor –, mêlant aventures historiques et satire politique contemporaine.

Rafik GULBUL (Maurice)
Repiblik Zanimo
Port-Louis (île Maurice) : O.N.E.
90 planches en noir et blanc

*L'ancêtre des albums B.D. de l'océan Indien. Adaptation en créole d'***Animal Farm** *de George Orwell. Publiée quelques années après que l'île Maurice se fut libérée du « joug » anglais, cette satire irlandaise du détournement de la démocratie, traitée dans un registre animalier stylisé, retrouve une ironie au second degré...*

HOBOPOK
Le Temps Béni des Colonies
Sainte-Clotilde (Réunion), Centre du Monde éditions, 1998
48 pages en noir et blanc

Une satire féroce de la colonisation et des formes les plus récentes de l'esclavagisme à travers un couple maître et esclave, mettant parfois en cause les épouses de chacun : parfois à la limite du bon goût, mais le rire, constamment présent, réussit à faire passer même des extrémités odieuses.

Serge HUO-CHAO-SI et APPOLLO (Réunion)
Cases en tôle
Sainte-Clotilde (Réunion) : Centre du Monde éditions, 1999
49 pages en couleur

Plusieurs récits courts, entre le registre du non-sens et celui de la parodie, associant au décor réunionnais les démêlés d'un père Noël d'occasion aussi bien que des traitements aimablement délirants de contes traditionnels. Graphisme efficace et drôlerie assurée.

LI-AN (Réunion)
Planète Lointaine
Paris : Delcourt Éditions, 1998
192 pages en noir et blanc

« Quand la Réunion s'exporte en métropole ». Version album, modi[fiée] et complétée de Funny Girl, récit [de] science-fiction pré-publié dans Le[...] du Margouillat. *Une aventure, graphiquement marquée par le st[yle] de Moebius, mettant aux prises, d[ans] une lutte pour le pouvoir, un polic[ier] mystérieux, une vedette des médi[as] érotiques et un gouverneur omnipotent, s'appuyant sur un régime autoritaire.*

LI-AN
La Ti Do
Sainte-Clotilde (Réunion) : Centre du Monde éditions, 1999
62 pages en noir et blanc

Sur un mode conjuguant humour et poésie, en strips de 4 vignettes, les aventures au quotidien d'une réunionnaise, « la petite Dominique » – en fait, l'épouse de l'auteur –, montrant que, sous toutes les latitudes, une jeune femme doit assumer ses angoisses métaphysiques sur la prise de poids, les premières rides et la crainte de ne plus plaire à son mari.

Elisé RANARIVELO (Madagascar)
Les planches flottantes
Madagascar : Alizé éditeur / L'Express, 2001
79 planches en noir et blanc

Des dessins de presse et des planches de B.D. qui épinglent les travers des dirigeants malgaches. Les hommes politiques sont la cible privilégiée de l'auteur, mais le sport, l'économie, la diplomatie internationale ne sont pas épargnés. Une particularité intéressante : l'album est en partie financé par les publicités insérées comme dans un journal.

Anselme RAZAFINDRAINIBE (Madagascar)
Retour d'Afrique
Sainte-Clotilde (Réunion) : Cen[tre] du monde éditions, 1999 (collection Mora mora)
144 planches couleurs et noir [et] blanc - ISBN : 2-912013-05-4

L'Afrique continentale, Madagasc[ar] et l'île de la Réunion vues par un caricaturiste malgache. La charge féroce et les propos s'éloignent du politiquement correct sous les cray[ons] du talentueux Anselme Razafindrainibe. Les travers des hommes politiques, des financiers[,] des journalistes sont stigmatisés d[ans] un album revendicatif et impertin[ent].

TEHEM (Réunion)
Tiburce, vol. 1 : Ilet Titby
Sainte-Clotilde (Réunion) : Centre du Monde éditions, 1996 (collection Bichick)
77 planches en couleur
ISBN : 2-912013-01-1

« Bandelettes dessinées avec bulles créoles ». Ce premier recueil des aventures au quotidien du jeune Tiburce est un régal : chaque gag en trois cases est désopilant et les dialogues en créole réunionnais font mouche à tout coup. Un petit glossaire créole / français à la fin du volume aide à la compréhension.

TEHEM
Tiburce (vol. 2 et 3)
Sainte-Clotilde (Réunion) : Centre du Monde éditions, 1999 et 2000
78 pages en noir et blanc + 4 pages de glossaire chaque vol.

Votez Law-Law et Chacun ses Brèdes. *La suite des aventures du « petit Burce », toujours dans ce créole inimitable, évoquant cette fois les démêlés politiques et économiques d'une communauté saisie dans son intimité la plus humoristique à travers les yeux d'un garnement.*

TEHEM
Malika Secouss
Grenoble : Éditions Glénat, 4 vol. publiés, 1998 à 2001
48 pages en couleur chaque vol.

Par l'auteur de **Tiburce**, *les aventures d'une bande de copains multi-ethniques, – Maghreb, Afrique noire, Europe –, dans une banlieue indéterminée d'une grande cité, sans doute métropolitaine, mais qui pourrait être réunionnaise, aux prises avec les éducateurs, souvent dépassés, des skinheads, toujours ridiculisés, et quelques autres. Férocement drôle.*

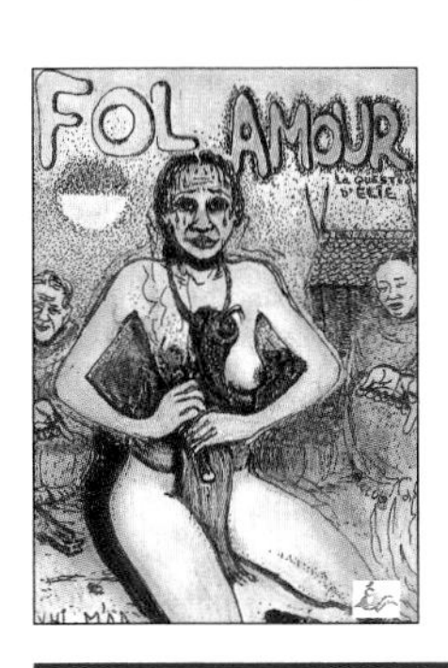

XHI et M'AA (Madasgascar)
Fol Amour, La Question d'Elie
Analakely (Madagascar) : Éditions Grand Océan, 1997
52 pages en noir et blanc

Précédé d'une introduction sur les origines mythiques de Madagascar, l'Ile-Pied, le récit oppose au regard sur les réalités économiques et sociologiques de l'île, une vision métaphysique associant tradition, légendes à travers les amours difficiles d'un couple où s'opposent précisément la religion indigène et celle des anciens colonisateurs.

Thembo Kash

Recherche en atelier (Kinshasa 2000)

ALLO? ICI MAMMOUD...
BONJOUR MAMMOUD... ICI TON AMI LE "CONSEILLER". JE PARIE QUE TU AS LE NEZ DANS LA PRESSE ÉCRITE DE CE MATIN. ÇA M'ÉVITERA D'AILLEURS DE T'EXPOSER L'AFFAIRE EN OR QUE J'AI POUR TOI. ALORS PRESSONS ! TU AS VU LES TITRES ? TIENS-TOI BIEN... TU APPRÊTES 10 MILLIONS DE DOLLARS POUR MOI ET LA PIERRE EST POUR TOI ! OK ?

TU... TU VEUX DIRE QUE C'EST TOI QUI A CE... CETTE PIÈCE RARISSIME ?!?... POUR 10 MILLIONS ! DIS DONC... C'EST... C'EST TROP RAIDE... QUOI ? À PRENDRE OU À LAISSER !
...JE LA VEUX CETTE PIERRE, T'ENTENDS ?
Flash
Le Palmares
NUIT FOLLE A LA TOWNBANK !
UN JOYAU DE 287 CARATS VOLÉ !

PARFAIT ! PARLONS PEU, PARLONS BIEN. TROP DANGEREUX DE NOUS VOIR PHYSIQUEMENT OU D'EN REPARLER AU TÉLÉPHONE. TOUTE TA PROFESSION SERA SÛREMENT MISE SUR TABLE D'ÉCOUTE. BON, VOILÀ ! VITA SE CHARGERA DE L'OPÉRATION D'ÉCHANGE. JE TE COMMUNIQUERAI LES DÉTAILS DANS...
WHITE DIAMOND

KRRZZ... LA PRESSE ÉCRITE. RETIENS LE MESSAGE : "LA CUISINIÈRE SERVIRA LE REPAS CHEZ LES DAMES." DANS 48 HEURES. CIAO !... TUUUUUT !...
ZUT ! À PEINE CAPTÉS ET CIAO ! TU AS ENREGISTRÉ ?
OUI CHEF !

MMH... ÇA M'A TOUT L'AIR D'UN MESSAGE CODÉ. NOUS NE NÉGLIGERONS AUCUNE PISTE. FAITES VENIR LES AGENTS 33 ET 44.

ET LE SURLENDEMAIN...
BINGO ! VOICI MON MESSAGE ! "CE SOIR À 20H30' AU SNACK BAR VIRUNGA. LA CUISINIÈRE SERVIRA LE REPAS CHEZ LES DAMES." SIGNÉ "LE CONSEILLER CULINAIRE."... SNACK "VIRUNGA" JE CONNAIS ! C'EST EN PLEIN MATONGÉ... OUAIS...

"LA CUISINIÈRE", C'EST VITA... "LE REPAS", C'EST LE DEAL... "CHEZ LES DAMES"... AH, J'Y SUIS : LES TOILETTES DAMES ! C'EST CLAIR. MAIS JE DOIS PRENDRE QUELQUES PRÉCAUTIONS. LE CONSEILLER A DÉJÀ TENTÉ DE ME DOUBLER... PLUS D'UNE FOIS !...
Phare
HALALI !
Marker
BILLET

...FINALEMENT JE CROIS QU'ON AVAIT RAISON D'ÉPLUCHER LA PRESSE ÉCRITE. C'EST PEUT-ÊTRE UNE PISTE SÉRIEUSE. SNACK "VIRUNGA", VOUS CONNAISSEZ, NON ! ALORS INVESTISSEZ LES LIEUX DÈS CE MATIN AVEC DIX HOMMES, POUR COMMENCER. ARRÊTEZ TOUT LE MONDE, S'IL LE FAUT ! MOI JE VEUX DES RÉSULTATS !! ALLEZ, BONNE CHASSE 33 ET 34 !

Pat Masioni

Recherche en atelier (Kinshasa 2000)

PAT. MASIONI

PATIENCE,,, J'EN AI POUR DEUX MINUTES

C'EST CURIEUX, ELLES ONT L'AIR BIZARRE !

VOUS AVEZ LES SOUS ?
QUEL BEAU CAILLOU !

JE PEUX SAVOIR CE QUE VOUS FOUTEZ TOUS ICI ?

BARRE-TOI !

Mfumu'Eto

Recherche en atelier (Kinshasa 2000)

DEUX JOURS PLUS TARD À 12H15'
NOUS L'AVONS TRAQUÉ NUIT ET JOUR ET À SON INSU IL NOUS AMÈNE ICI... JE REJOINDS LA FILLE QUI VIENT DE SORTIR DE LA BMW ET TOI RESTE ICI POUR SURVEILLER L'HOMME DE LA BMW... N'OUBLIE PAS QUE SON GARDE DU CORPS EST LÀ.
Restaurant MAMA MAPASA chez Mère double "Supu ya elengi"

FAIS VITE POUR SERVIR LES DEUX NOUVEAUX QUI ENTRENT... MAIS MARLÈNE AS-TU REMARQUÉ QU'AUJOURD'HUI NOUS AVONS REÇU D'AUTRES CLIENTS QUI N'ONT JAMAIS MIS PIED ICI ?
OUI MAMAN, C'EST NOTRE TRÈS BONNE CUISINE QUI LES ATTIRE

VIENDRA ? VIENDRA PAS ?
UN PEU DE PATIENCE IL SERA ICI

Ti-Ti-Ti-Ti-Ti

ELLE VIENT D'ENTRER... SUIVEZ LA COULEUR ROUGE JUSQUE DANS LA PIÈCE À CÔTÉ... COMPRIS ? STOP !

LA "COULEUR ROUGE ?" C'EST DONC UNE FILLE ? AHH QUELLE BEAUTÉ ?! ELLE EST AUSSI BELLE QUE "LA PIERRE"
OHH... À VOIX BASSE. PERSONNE NE DOIT SAISIR NOTRE CONVERSATION
QUE PUIS-JE VOUS SERVIR ?
VOUS AVEZ DU POULET À LA MWAMBE ???
MFUMU'ETO

2

Hallain Paluku

Planche exposée au 3ème Salon Africain de la B.D. (Kinshasa)

Hallain Paluku 2000

François DIMBERTON,
Dominique HÉ
Je réalise ma première bande dessinée
Paris, Vuibert,
coll. « Levons l'encre »,
2000, 64 p.,
64 FF / 9,76 €

Cet ouvrage technique, véritable outil de référence pour l'animation d'ateliers de bande dessinée, est remarquable par son côté professionnel, ce qui n'exclut pas, par ailleurs, une grande facilité de lecture. Les auteurs font ici preuve d'une pédagogie certaine. On est séduit par leur façon de chercher à enseigner au lecteur-apprenti par le biais d'une extrême simplification, par exemple quand ils donnent la définition d'un scénario de B.D. : « *... c'est un personnage qui, pour atteindre un but, doit franchir des obstacles* » (p. 2).

Dans l'introduction, les auteurs définissent le scénario en image par les trois éléments : le héros, le but et les obstacles, démontrant que ces éléments sont tous plus importants les uns que les autres pour réaliser une bonne B.D. (ce qui n'est pas sans rappeler certaines règles de grammaire pour la construction d'une phrase cohérente) : « *Toute la qualité du scénario dépendra du personnage principal (héros), du but qu'il devra atteindre et de l'intérêt (variété, difficulté...) des obstacles qu'il devra franchir* » (p. 2).

D'emblée, les auteurs orientent le lecteur-apprenti vers une ligne conductrice qui va le guider tout au long de sa « formation » avec un mode d'emploi suivi de la construction très détaillée du scénario dans laquelle toutes les étapes sont abordées avec analyses et exemples visuels (dessins) définis par l'époque, le style et le genre, car l'histoire à raconter doit être délimitée dans un univers bien précis pour être crédible aux yeux du futur lecteur. C'est pour cette raison qu'un chapitre entier est consacré aux définitions de l'époque à laquelle se déroule l'histoire, de son style et de son genre. On peut voir également, dans les quatre actes, les quatre étapes du déroulement de l'histoire où les auteurs expliquent comment commencer une histoire par une sorte de « schéma narratif » qui présente d'abord les différents personnages ainsi que le but (difficile) que le héros doit atteindre. L'acte un « *constitue les fondations de tout l'édifice. S'il est raté, l'histoire est ratée* ». L'acte deux est l'endroit où l'on doit montrer tous les dangers qu'affronte le héros. C'est donc ici que se dressent les obstacles. L'acte trois est le ressaisissement du héros qui était en difficulté dans l'étape précédente. Mais cette partie peut être aussi celle des rebondissements : « *Ton héros remporte ses premières victoires, se tire de situations difficiles, et prend le dessus. Mauvais actes pour le méchant ! Le lecteur jubile et commence même à penser que l'histoire est finie, mais un stratagème classique du scénario va te permettre de le surprendre en relançant l'action. C'est ce que l'on appelle : Coup de Théâtre* » (p. 23).

Et finalement vient l'acte quatre qui est bien sûr l'étape finale, celle où « *l'on apprend qui sera le vainqueur* » (p. 24). Les auteurs expliquent que dans cet acte, le lecteur-apprenti doit avoir eu en tête ce dénouement depuis le début. Avec un langage adapté, humble (par le tutoiement), les auteurs cherchent à créer une certaine complicité avec le lecteur-apprenti et l'apprentissage devient alors une sorte de jeu auquel celui-ci participe aisément en suivant des conseils, des pistes et des activités qui vont l'aider à réaliser sa B.D.

Après avoir étudié le scénario avec des « *trucs pour raconter* », vient ensuite « *le carnet de dessin* », qui représente la partie de l'étude du dessin. Là aussi tout est expliqué dans le moindre détail, allant des angles de vue jusqu'à la composition de l'image, en passant par la documentation, la perspective et le dessin d'un personnage réaliste.

Chaque partie est abordée d'une manière adaptée : le texte est bien aéré, très illustré, et un encadré intitulé « *relisons nos classiques* », incite le lecteur à se référer aux albums des grands. Il y a une parfaite cohérence entre le texte qui explique et le visuel (image) qui montre. La couleur même du fond est bien choisie, pour ne pas lasser le lecteur-apprenti. Celui-ci va vérifier par un test, à la fin de l'ouvrage, ce qu'il a retenu tout au long de sa lecture. Cet ouvrage est sans conteste une vraie réussite.

Alix FUILU

Stephen FRANCIS, Harry DUGMORE (scénario), Rico SCHACHERL (dessin)
Enfin libres !
Série « Madame et Ève », tome I
Vents d'Ouest, 1998,
64 pages noir et blanc,
59 FF / 8,99 €

« *Superstitions, magie, fantômes, ce n'est pas moi qui m'y laisserais prendre* », s'exclame Gwen, en raillant sa bonne qui veut placer une brique sous son lit pour éloigner les « tokoloches ». « *Quand vous brisez un miroir, il vous arrive quoi ?* », réplique Ève. « *Sept ans de malheur* », répond sa patronne. Gwen Anderson est une femme blanche sud-africaine qui oscille entre libéralisme et frilosité, ouverture et préjugé, naïveté et pingrerie. Ève Sisulu est une femme noire sud-africaine qui exerce la profession de bonne au service de Gwen et qui tente laborieusement d'éveiller la conscience de sa patronne aux métamorphoses de la nouvelle Afrique du Sud. La cohabitation entre les deux femmes est l'occasion de duels verbaux mouchetés sur des sujets tels que les couples mixtes, l'insécurité, les droits des salariés ou les superstitions. L'histoire est pimentée par l'idylle entre Eric, le fils de Gwen, et Lizeka, sa petite amie noire de l'université. « *Je suis un noir emprisonné dans un corps de blanc* », assène Eric à sa mère, qui décide aussitôt d'aller plonger sa tête dans le four de la cuisine. Les élections présidentielles, le prix Nobel de la paix et le retour des investisseurs étrangers situent l'intrigue dans l'actualité nationale sud-africaine. Entre humour, tendresse et persiflage, les aventures de Gwen (qui se traduit par Blanche en breton) et Ève (la première femme du livre de la Genèse) nous ouvrent les portes d'une nation qui surgit des cendres de l'apartheid.

La série « Madame et Ève » a été lancée en 1992 par trois compères qui relèvent le défi d'aborder la mutation de l'Afrique du Sud contemporaine par le versant humoristique. Le graphisme et le ton de l'album **Enfin libres !** font penser aux aventures de la petite fille argentine Mafalda, qui proposent aussi une philosophie ancrée dans la vie quotidienne. « Madame et Ève » présente un style narratif et un trait à la fois sobres et acérés. Le rire naît des situations absurdes et de la mauvaise foi des deux héroïnes, qui rivalisent d'ardeur pour conquérir le pouvoir dans la maisonnée, ou tout simplement, pour avoir le dernier mot. Dans le face à face entre la patronne blanche et l'employée noire se lisent les ravages de l'apartheid, mais aussi le projet d'une Afrique du Sud enfin plurielle et réconciliée. Chaque catégorie de la population en prend gentiment pour son grade. L'humour est ici une planche de salut, une passerelle vers la tolérance. Le message principal de l'album est délivré par des extra-terrestres venus incognito à la rencontre de Gwen et Ève, comme les deux voyageurs des **Lettres Persanes** de Montesquieu : « *Nos recherches ont montré que l'Afrique du Sud n'était pas un si mauvais endroit. Bien que vous ayez encore beaucoup à apprendre, l'espoir d'un avenir meilleur reste entier* ». « Madame et Ève » parvient à conjuguer élégamment le burlesque et la réflexion sur l'humanité. Un cocktail à déguster sans modération.

Jean-François COURTILLE

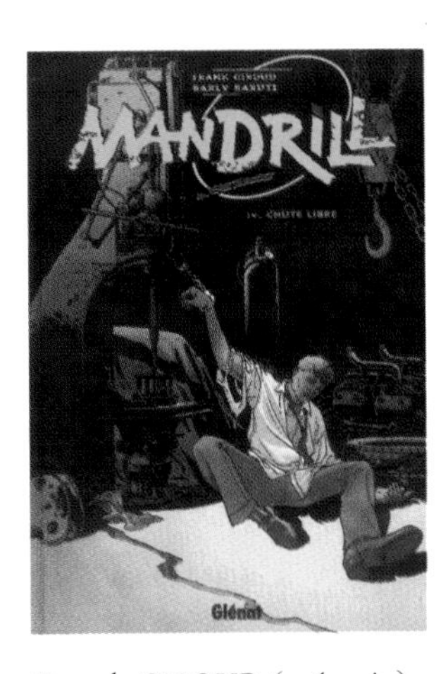

Franck GIROUD (scénario),
Barly BARUTI (dessin)
Chute libre
Série « Mandrill »,
tome IV
Glénat, 2001,
44 pages couleur,
59 FF / 8.99 €

1951, France. Le pays tente de se reconstruire après les déchirements de la deuxième guerre mondiale. De nombreux collaborateurs – les Français qui ont pactisé avec l'occupant allemand – se retrouvent toujours à tous les niveaux du pouvoir, puisqu'il faut « faire semblant » et oublier les égarements idéologiques pour que la France se réconcilie avec elle-même. Avocat au barreau de Paris, maître Adrien Mandrill voit sans cesse ressurgir les anciens fantômes de la guerre, lui qui a fait profession de traquer les collabos là où ils sont toujours en place. Ancien résistant, il met à jour leurs agissements passés au fil de ses aventures politico-judiciaires dans cette période de faux-semblants.

Dans ce quatrième tome de la série, Mandrill tombe de Charybde en Sylla. Accusé du meurtre de sa maîtresse, il est victime d'un chantage qui l'oblige à commettre un cambriolage pour récupérer le trésor de guerre d'anciens collabos. Sans cesse rattrapé par son passé, il doit composer pour concilier son métier, ses idéaux et sa vie personnelle. Après avoir fait évader de prison un activiste révolutionnaire, il se retrouvera lui-même embastillé à la Santé...

Avec les séries « Louis La Guigne » et « Eva K. », dessinée par Barly Baruti, Franck Giroud a composé de palpitantes intrigues mêlant faits historiques et analyse politique. Ses héros assoiffés de justice participent aux complots révolutionnaires, luttent contre la corruption, tiennent tête aux pouvoirs tortionnaires. Alors que Louis Ferchot, le héros de « Louis La Guigne », évolue dans l'entre-deux-guerres, œuvrant contre le nazisme naissant en Allemagne ou contre la montée du fascisme en Italie, Mandrill a la guerre derrière lui. Le but de Louis est d'éviter à la société de sombrer dans le chaos des conflits, celui d'Adrien est de remettre de l'ordre après la période de troubles. Grâce à de très solides références historiques, les scénarii de Franck Giroud allient, toujours avec brio, idéologie et action, faits avérés et fiction, Histoire et polar.

Mais quel est l'apport de Barly Baruti dans ces albums franco-français ? Le dessin réaliste du Congolais orchestre parfaitement le scénario de Franck Giroud. Grâce à son art consommé du cadrage et du découpage, il fait revivre avec minutie la France du milieu du siècle : les hommes sont coiffés de feutres mous, les publicités sont peintes à même les murs, les Panhard et les Aronde descendent les Champs-Elysées. Une mise en couleur délicate complète cette ambiance rétro sans que jamais l'intrigue souffre de débordements esthétisants. Barly Baruti met son art tout entier au service de l'histoire et du scénario, avec l'application et la discrétion qui sied aux grands auteurs. Lui qui ne veut plus jamais entendre la phrase « C'est pas mal pour un Africain », a désormais atteint son but. Pour qui l'ignore, impossible de deviner à la lecture de cet album que le dessinateur a grandi à Kisangani et non sur les bords de la Seine. Barly Baruti n'est plus un bon dessinateur africain, c'est simplement un grand dessinateur.

Sébastien LANGEVIN

JANO
Sur la piste du Bongo
Série « Keubla »
Paris, Les Humanoïdes associés, 1986,
50 pages couleur,
65,60 FF / 10 €

Cela fait maintenant vingt ans que Jano trimbale ses personnages animaliers dans la B.D. Vingt années à raconter les tribulations de Kébra dans les banlieues sordides et les errances enfumées de Keubla au cœur de l'Afrique. Or Jano apporte une vision très humaine, et proche d'une réalité juste à peine déformée par un humour cruel, de ce continent. Car c'est la liberté et l'émancipation face à la vie civilisée que Jano chante au fil des pages.

Engoncé dans son T-shirt blanc rayé de bleu, sa gapette rouge bien vissée sur la tête, Keubla "zone" au moins autant que Kébra, sauf que son terrain de jeu est l'Afrique. Champion toute catégorie des plans galères, Keubla est un blakeu, un marin, un voleur, un outsider, un rebelle, un anticonformiste, un tout ce que vous voulez en somme... pourvu que ça lui rapporte assez d'argent pour acheter un peu de Bongo.

Le Bongo, la Ganja, l'herbe, la marijuana, c'est le petit îlot de bonheur venu du fin fond de la misère africaine. Car ici, rien n'est contrôlable, c'est le monde joyeux de la débrouille à tout prix (et surtout si ce sont les autres qui le payent). C'est la loi des rencontres de circonstance, pour se tirer de plans glauques ou récupérer un peu du seul bonheur en ce bas monde, seule satisfaction des riches comme des pauvres, des keufs comme des petites racailles, de l'armée comme des rebelles pro-cubains : le Bongo !

Le Bongo, c'est ainsi le dénominateur commun de toute l'Afrique, l'ultime terrain d'entente. Là-bas, sur la piste du Bongo, tout le monde fume. Et de fumeries en galères diverses, Jano entraîne son Keubla dans un voyage au fin fond du continent noir. Le voyage débute ainsi avec une escapade en plein souk au Caire, entre les ruelles décharnées et les ruines de la Cité des morts. Carapaté au Soudan, attaqué par les pillards du désert sur les bords du lac Nasser, traversant l'enfer du Ténéré pour échouer près de la mer Rouge, ralliant le Sud sur le toit d'un wagon de train ou fuyant la loi islamiste pour tomber dans les filets des guérilleros sécessionnistes, Keubla ne vit pas des aventures extraordinaires. Car il n'y a là que le quotidien d'un continent en ébullition, dépeint d'une manière quasi banale, presque évidente. C'est un autre carnet d'Afrique que Jano peint donc au fil des pages. De l'impénétrable jungle à l'interminable désert en passant par les villes surpeuplées de vendeurs ambulants, l'arnaque et l'embrouille ne sont jamais loin. L'Afrique de Jano est aussi envoûtante qu'impitoyable pour le lecteur de base et ressemble à tout... sauf à une bête carte postale. Une idée du fossé qui sépare la réalité chaotique d'une vision romancée d'agence de voyage.

Cette réalité, Jano la travaille forcément dans son dessin. Tout est grouillant sur cette autre planète, comme en témoignent les cases surchargées où l'on relève moult détails. On y saisit l'idée de surpopulation, on y relève une richesse pluriculturelle, on y comprend la responsabilité du colonialisme. L'Afrique ne se dépeint ainsi que dans une description minutieuse, par le dessin, de ce foisonnement de couleurs, d'objets et de gens. Et bien sûr au détour d'une planche, au cœur du fatras de bric et de broc, on y reconnaît le touriste à cent lieues à la ronde. L'Afrique de Jano, c'est aussi une étonnante multitude de lieux et de décors différents. Keubla s'en fera témoin, lui qui en cinquante pages voyagera en fourgon pénitentiaire, en bateau, à dos de chameau, en train, en voiture et en avion. Et toujours s'impose la vision d'un monde encore sauvage, dangereux, livré à lui-même et à la folie des hommes.

Seul Jano donc ose donner une image non conventionnelle de l'Afrique. Mais cette vision, l'auteur l'amène non sans une grande part de tendresse et de fascination pour ce continent. Son humour cinglant fait rire de ce qui pourrait faire peur, son trait talentueux trahit la beauté sauvage qui n'a pas manqué d'inspirer sa plume d'artiste. Les aventures de Keubla fleurent ainsi bon l'authenticité et le vécu, et l'on ne remerciera jamais assez Jano de nous les faire partager.

Stéphane FERRAND

PARINGAUX (scénario),
LOUSTAL (dessin)
Kid Congo
Paris, Casterman, 1997,
72 pages couleur
95 FF / 14,48 €

Aux alentours de 1910, Sénégal. Elle est belle, blanche et blonde ; son mari commence à ressembler à un fantôme, tant le mal qu'il a attrapé le ronge. Joseph le serviteur noir arrive. Quelques gestes de désir, un passage à l'acte, le mari qui revient, une altercation, puis un coup de couteau : Madame Rose s'est débarrassée de son mari. Elle fuit en France en compagnie de Joseph. Traversée en bateau, Le Havre, le train vers Paris. La neige est là, Joseph a froid ; il a du mal à s'habituer aux immeubles, veut dormir à même le sol ou retirer ses chaussures qui lui font mal aux pieds. Rose retourne à son premier emploi : prostituée. Si Madame Marthe ne veut plus d'elle, en revanche, elle veut bien du bel athlète noir qu'est Joseph. Rose s'y refuse d'abord ; puis elle accepte lorsqu'elle ne peut plus faire autrement. Joseph devient la coqueluche de la maison close : de ses dames, comme de ses visiteurs, messieurs qui admirent sa stature, aiment se mesurer à lui au bras de fer... Il y a même un sculpteur qui veut le prendre pour modèle. Un jour, alors que Joseph doit raisonner un client violent, boxeur professionnel, il le frappe... Et le voilà embrassant une nouvelle carrière : la boxe. Il devient le fameux Kid Congo que tout le monde vient voir combattre. Mais la gloire est vite interrompue par la guerre de 14-18. À la suite d'un chantage mené par l'inspecteur chargé de l'enquête du meurtre du mari de Madame Rose, Joseph doit partir au front, parmi les tirailleurs sénégalais. Il y laisse une partie de sa jambe gauche, bon nombre de ses illusions et même s'il retrouve Madame Rose, plus rien ne sera jamais comme avant. Jusqu'au drame.

Kid Congo est une œuvre sombre. Ses auteurs auraient pu la traiter comme une grande saga débutant dans une colonie française pour finir à Paris. Mais fidèles à leurs habitudes – c'est leur huitième ouvrage en commun –, ils privilégient l'intimisme et s'attachent à décrire le destin d'un personnage, les événements historiques étant perçus et ressentis par lui, faisant ainsi office de filtre narratif et émotionnel. Il n'empêche que cet album saisit de l'intérieur tout un pan de l'histoire française, pointant et décrivant justement la vie d'un Sénégalais arraché à ses racines et qui n'a pas d'autre alternative que celle de se laisser ballotter par les événements et d'accepter l'image que l'on a de lui. Il est alors, tour à tour, un grand noir étranger, puis une attraction de maison close, un champion de boxe, un innocent accusé de meurtre, de la chair à canon promise à un sort funeste, puis la victime d'un chirurgien aux gestes punitifs, une vedette déchue qui a besoin de morphine pour calmer ses douleurs et, enfin, un assassin par amour.

Le texte de Paringaux est sec, imagé, parfois descriptif et il peut paraître un peu affecté. Mais il colle parfaitement au récit : texte et dessin se complètent, mais le second n'est jamais une simple illustration du premier. Si la description donnée par le texte est souvent reproduite par le dessin, c'est avec un certain décalage ou de manière partielle, cela permettant d'effectuer des ellipses, de raccourcir ou de prolonger le temps d'une action et ainsi d'être au diapason de ce que vivent et éprouvent les personnages. De la même façon, le dessin de Loustal s'attache souvent à ce qui peut paraître secondaire, mais qui structure le quotidien, donc les êtres et leurs vies : corps immobiles figés dans des moments d'attente, gestes anodins et fugaces... Cela met en valeur et fait ressortir la moindre action, lui donne tout son poids : il s'agit d'un coup de poing, d'un mouvement de fusil dont la baïonnette s'avère fatale... Le dessin de Loustal est vif, son trait est épuré et fin ; c'est aux couleurs que revient la tâche de donner chair, ombre et lumière à ces corps. Qu'elles soulignent certains motifs, les rehaussant légèrement ou qu'elles tranchent, étant vives au sein d'autres plutôt éteintes – c'est la fonction du rouge –, les couleurs participent pleinement de la narration, n'étant jamais innocentes. Qu'il s'agisse de peintres figuratifs tels qu'Edward Hopper ou des croquis de voyages qu'il consigne dans des carnets – Loustal en a publié trois à ce jour, aux éditions du Seuil –, les influences graphiques de Loustal se ressentent et se rejoignent dans une préoccupation commune : arrêter le temps pour en saisir des bribes, tout en effectuant cela de la façon la plus vivante qui soit.

Kid Congo est ainsi un grand album qui suit la dérive d'un corps, d'un continent, d'un style de vie, d'une position, d'un destin... à un autre.

Boris HENRY

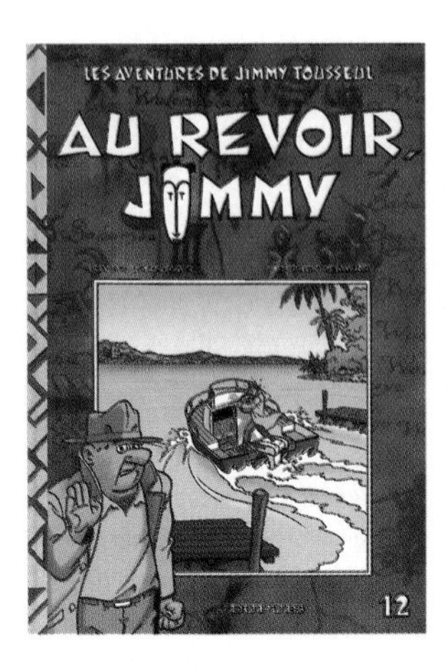

Stephen DESBERG (scénario),
Daniel DESORGHER (dessin)
Au revoir, Jimmy
Série « Jimmy Tousseul »,
tome XII
Paris, Dupuis, 2000,
48 pages couleur,
52,50 FF / 8,00 €

La série « Jimmy Tousseul » fait office d'extraterrestre dans la bande dessinée classique. Se déroulant essentiellement sur le continent africain, avec quelques passages en Europe, elle met en scène un enfant qui, au fil des tomes, grandit jusqu'à devenir un jeune adulte, son attachement à la terre africaine s'accroissant également. Les albums alternent enquêtes policières et affrontements avec la nature sauvage – et notamment avec certains de ses animaux dans **La loi du solitaire**[1] et **La vengeance du singe**[2] –, tout en passant par des quêtes initiatiques, comme cela se produit dans l'excellent **Le visage de Dieu**[3] où est émise l'hypothèse que Dieu est noir. Quant à l'atmosphère des récits, si elle varie également, elle mêle surtout des tons très différents : une certaine insouciance et un humour propre aux séries dites « pour enfants « côtoient des préoccupations plus adolescentes – Jimmy vit ses premiers émois amoureux et, de façon à peine sous-entendue, sexuels –, tandis que la description de l'Afrique s'appuie sur certains clichés, souvent pour mieux s'en jouer. Ainsi, si ce continent est montré comme une terre première et idyllique, l'ambiguïté de la place du Blanc y est soulignée, tout comme est également pointée la difficulté à sortir des années de colonisation... et ce parfois de manière... ambiguë. « Jimmy Tousseul » est ainsi une série qui navigue entre deux eaux : estampillée « pour enfants », sous ses dehors classiques, elle est peut-être un peu trop singulière pour eux et un peu trop « pour enfants », pour les lecteurs adolescents ou adultes. De la même façon, le dessin de Daniel Desorgher est à la fois réaliste et empreint de caricature – le gros nez rond de Schatzy, les grands yeux de Suzy... –, se coulant dans le graphisme d'une certaine bande dessinée belge des années cinquante ou soixante – période à laquelle est située la série –, évoquant ainsi le trait d'un Will (« Tif et Tondu », « Isabelle ») ou d'un Peyo (« Les Schtroumpfs », « Johan et Pirlouit »).

Comme l'indique son titre – **Au revoir, Jimmy** –, ce douzième tome s'annonce comme étant le dernier et l'arrêt de la série est donc assumé dès son commencement. Ce tome est ainsi un « baroud d'honneur » qui permet de ramener en Afrique, Jimmy, Suzy sa bien-aimée et Schatzy son fidèle complice et de les laisser sur cette terre qu'ils chérissent tant. Car, dans le tome précédent, tout ce petit monde se réfugiait en France pour fuir **Les mercenaires**[4] – titre de l'album – à la solde de Kabeya – le père de Suzy –, devenu ministre de l'intérieur et de l'information d'un régime dictatorial qui venait d'opérer un coup d'état, obéissant en fait aux ordres d'une puissance européenne qui voyait là un moyen d'élargir l'étendue de son influence et d'agrandir ses ressources économiques. Mais voilà, Kabeya ne peut supporter l'idée que sa fille soit entre les mains d'un jeune blanc. Il envoie alors ses hommes rechercher les jeunes amoureux, s'attaquant d'abord au père de Jimmy et à certains de ses proches amis. Suzy est rapidement enlevée et Jimmy et Schatzy décident d'aller la rechercher et de retourner sur le continent africain, seule terre sur laquelle ils souhaitent vivre. Ayant réussi à maîtriser les mercenaires chargés de les supprimer et s'étant emparés de leurs papiers, les deux hommes rejoignent leur pays d'adoption en proie à une sanglante guerre civile ; mais le chemin est long et les embûches nombreuses avant qu'ils ne retrouvent l'objet de leur désir : Suzy pour Jimmy, sa terre et son lion domestique pour Schatzy.

De par son statut de dernier album d'une série, ce tome est déjà mélancolique et nostalgique. Mais il l'est encore davantage par son constat aiguisé : certains pays d'Afrique ne sont malheureusement que des marionnettes animées par des dictateurs, eux-mêmes manipulés par des représentants de puissances étrangères, eux-mêmes agissant officieusement pour le compte de leur gouvernement... Le constat est loin d'être nouveau et on le connaissait avant de lire cet album. Mais qu'une bande dessinée « *destinée à la jeunesse* » et ayant pour vocation de divertir en fasse son sujet principal et le traite judicieusement ne peut laisser indifférent. Et ce d'autant plus que tout est fait pour nous mettre sur la voie de situations manifestes et récentes : le père de Suzy se nomme Kabeya, nom qui évoque immédiatement celui du récent dictateur de l'ex-Zaïre.

La dernière pirouette de Jimmy Tousseul prouve ainsi que l'on peut encore faire de la bande dessinée classique, intelligente, ouverte sur le monde, tout en véhiculant un message.

Boris HENRY

1. *« Jimmy Tousseul », Tome VI :* **La loi du solitaire**, *Paris, Dupuis, 1993.*
2. *« Jimmy Tousseul », Tome X :* **La vengeance du singe**, *Paris, Dupuis, 1997.*
3. *« Jimmy Tousseul », Tome VIII :* **Le visage de Dieu**, *Paris, Dupuis, 1995.*
4. *« Jimmy Tousseul », Tome XI :* **Les mercenaires**, *Paris, Dupuis, 1999.*

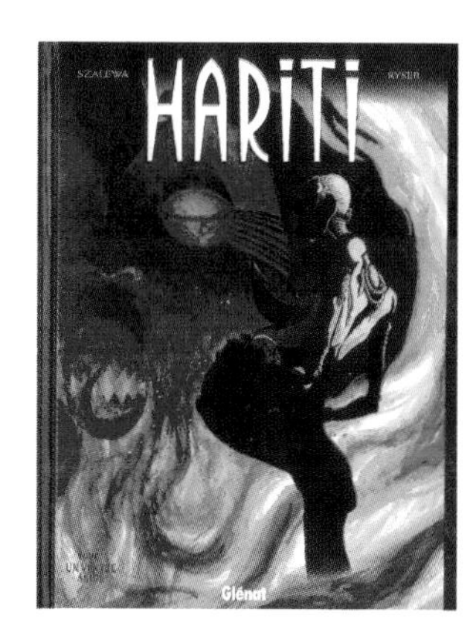

Igor SZALEWA (scénario),
Nicolas RYSER (dessin)
Un ventre aride
Série « Hariti », tome I
Glénat, 2001, coll. «Grafica»,
46 pages couleur,
68 FF / 10,37 €

La reine Hariti est une prêtresse toute puissante. Elle exerce sa domination sur une région imaginaire de l'Afrique, dans une époque indéterminée. Hariti vit un drame intime insupportable à ses yeux : la stérilité. Elle ne peut plus donner la vie depuis la mort de son premier enfant. Elle a pourtant tout essayé : l'amour avec des dizaines d'amants, l'invocation des esprits. Les années ont passé sans lui apporter le moindre espoir de grossesse. Et Hariti devient de plus en plus violente avec son entourage, sous le poids de la déception. Elle décide alors de solliciter l'aide du démon-mère Obatala : « *Je veux qu'il m'éclaire encore et me dispense ses oracles. Car j'ai su avec le temps apitoyer le fétiche sur le sort de la vieillissante Hariti* ». Dans le même temps, un Touareg et sa fille surgissent dans son royaume. Ils détiennent peut-être la clé qui soulagera la prêtresse de ses tourments. « *Ce caravanier et sa vierge de fille. C'est d'eux que tu obtiendras ce que ton ventre ne peut te procurer* », révèle Obatala. Hariti va mener les deux voyageurs aux portes de Bakel. Ils vont découvrir une oasis fantasmatique où se cache leur destin et celui de la reine Hariti. Le sortilège est en marche ...

Le premier tome de cette nouvelle série de la collection « Grafica », aux éditions Glénat, constitue d'abord une symphonie de couleurs chatoyantes et de cadrages variés. Le royaume imaginaire de Hariti, l'atmosphère fantastique dans laquelle baigne l'histoire sont illustrés par un dessin ambitieux et inventif. L'album est découpé visuellement en plusieurs séquences, qui accompagnent chaque étape du scénario : les couleurs rouges, noires, puis bleues illustrent le contact entre les hommes et le royaume des esprits ; la couleur ocre est la dominante du périple des deux voyageurs dans le désert ; la couleur verte traverse l'oasis où le Touareg et sa fille affrontent les sortilèges. La magie et les mystères de l'Afrique constituent la trame de cet album, où l'on saisit parfois quelques analogies avec l'atmosphère des « Passagers du vent » de Bourgeon, qui explora jadis l'imaginaire du continent noir. « Hariti » est aussi un voyage au cœur d'une féminité paradoxale : reine et prêtresse, cumulant le pouvoir politique et le pouvoir mystique, l'héroïne de l'histoire est emprisonnée dans le dilemme de la fécondité ou de la stérilité, réduite à sa fonction de « ventre » aride ou fécond. On peut y lire une métaphore de la condition féminine, en Afrique ou ailleurs. On peut aussi voir dans la quête désespérée et féroce de Hariti une révolte sauvage contre la condition humaine et ses injustices. L'album de Szalewa et Ryser plonge le lecteur dans un univers aussi fascinant qu'effrayant. Les amateurs de fantastique y trouveront leur compte. Les amoureux de l'Afrique réelle seront peut-être déroutés. Mais tous reconnaîtront certainement dans « Hariti » une recherche graphique et picturale hors du commun.

Jean-François COURTILLE

TEHEM
Groove ton chemin
Série « Malika Secouss »,
tome IV
Glénat, 2001,
48 pages couleur,
56,40 FF / 8,17 €

Elle vient de la bande à Titeuf, elle vit des aventures drolatiques dans sa banlieue et dans les pages du plus petit journal « *mégagéant* » de la planète : *Tchô*. On se l'arrache dans les cours d'école, elle fait se tordre de rire les zygomatiques des têtes plus ou moins blondes. Malika Secouss a vu le jour sous la plume du réunionnais Tehem et se révèle être un petit tremblement de terre bien pensé pour la jeunesse citadine. C'est sympa, c'est bien fait, c'est intelligent et ça secoue.

Ils sont trois. Trois jeunes des banlieues paumées. Il y a Dooley, le black un peu gros qui balade sa nonchalance derrière ses immuables lunettes de soleil, Jeff, l'endive un peu bêta inséparable de sa casquette tournée à l'envers, et il y a Malika, pétillante moukère chaussée de Rangers. Elle est mignonne, Malika, dans sa mini-jupe rouge et son T-shirt jaune... seulement voilà, c'est une peste finie, un caractère de chien, une teigne bagarreuse au grand cœur. Malika, c'est une vraie fille des banlieues.

Car les banlieues, on ne l'a que trop dit, c'est la jungle. Et du coup, Tehem nous raconte avec un humour grinçant la vie délirante de ceux qui y habitent, et ce de leur point de vue. Il y a donc, dans cette série de quatre albums maintenant, toute cette jeunesse rebelle et insouciante qui « fauchouille » des bricoles sans importance, passe pour abonnée aux bonnets d'ânes, saute de petits jobs en boulots minables, se fait refouler de toutes les boites de nuit et que le mot « école » fait frémir d'horreur. Et pourtant, ils sont bien sympathiques, débordants d'énergie et de bonne volonté. C'est vrai que Jeff confond un photomaton et un distributeur de bonbons, et que Malika est un fléau du baby-sitting, quant à Cooley, il est la terreur des pigeons. Mais tous ont de bons côtés. Déjà, il faut supporter les idées farfelues de Jipé, le médiateur de la mairie qui déboule toujours avec des concepts passionnants de comportement citoyen. Jeff, lui, est un pro du surplace en *Mountain Bike*, Dooley est un artiste du Tag. Et puis on en revient toujours à Malika. Elle rape comme pas deux, humilie les meilleurs danseurs de hip-hop, « *savate* » joyeusement tout ce qui ressemble à un skinhead...

Groove ton chemin, quatrième volume des aventures de Malika, ne déroge ainsi pas à la règle. Au programme, mode, sécurité routière, art brut, troisième âge, classe de neige et séance de cinoche. Avec un petit plus en fin de volume, la MJC des Pâquerettes ayant décidé d'envoyer nos guerriers du bitume au fin fond du Sénégal. Une occasion d'aborder par le versant humoristique l'art local, le trafic de peaux de bêtes et le système D, essentiel dans toutes les jungles.

Vous l'aurez compris, Téhem, sous couvert de nous faire rire, dépeint les attentes et les hésitations d'une jeunesse un peu rude qui s'ennuie à cent sous de l'heure, mais cherche par tous les moyens à s'intégrer à une société indifférente, tout en devant faire face à des problèmes propres aux banlieues. Quiproquos, situations burlesques et autres cuisants ratages font bien passer la pilule, de même que les délires visuels de Tehem rappellent que l'on est bien au rayon humour et cela fonctionne parfaitement.

On n'aurait pas imaginé, dix ans plus tôt, qu'une telle B.D. existerait pour parler des problèmes des banlieues aux plus jeunes. Trop grave, trop sérieux comme sujet : les banlieues, c'est politiquement, et donc culturellement, tabou. On ne rigole pas avec ces choses-là... Et bien aujourd'hui, grâce à Tehem et à la bande à Tchô, on en rigole dans toutes les cours de récréation, et nul doute que le message passera très facilement auprès des jeunes. Car, somme toute, dédramatiser un problème, n'est-ce pas déjà commencer à le régler ?

Stéphane FERRAND

Index des notes de lecture

Sélection de sites Internet

L@ BD
www.labd.cndp.fr

Un site qui s'adresse tout particulièrement aux enseignants intéressés par la bande dessinée. Outre les B.D. pédagogiques du Centre national de documentation pédagogique (CNDP) et les documents permettant l'exploitation en classe d'albums, on y trouve une sélection des dernières bandes dessinées parues, résumées et classées par âge (dès 7 ans, 10 ans, etc.). Une base de données de 5 700 références permet de s'orienter aisément.

BD paradisio
www.bdparadisio.com

L'un des tout premiers sites Internet dédiés à l'information sur la bande dessinée. Des critiques d'albums, des interviews d'auteurs, des dossiers, ainsi que des agendas des événements B.D. en France et en Belgique en font une référence en la matière. Une intéressante particularité : les biographies d'un millier d'auteurs sont proposées en ligne. Le forum de ce site regroupe un grand nombre de bédéphiles.

Univers BD
www.universbd.com

De nombreuses informations, des jeux, une galerie de dessins, des B.D. en ligne se trouvent sur ce site particulièrement riche. Un précieux annuaire recense les coordonnées des professionnels (éditeurs, festivals...). Les dossiers, comme « femmes de B.D., B.D. et femmes », sont archivés depuis 1996.

Le site des journées africaines 1999
www.f-i-a.org/jabd/

Même si ces Journées africaines de la B.D. sont bien terminées depuis le 27 novembre 1999, le site remarquablement bien réalisé pour l'occasion mérite le coup d'œil. Outre les photos de l'événement et les pages du journal du festival, *La Bulle*, les fiches de présentation des dessinateurs africains présents sont illustrées de dessins de chacun.

BDnet
www.bdnet.com

Un site commercial de vente par correspondance qui bénéficie d'une base de données de plus de 10 000 titres. Pour chaque ouvrage, en plus d'un résumé, la couverture et une page de l'album sont consultables. Remise à jour régulièrement, interrogeable selon divers critères, souple d'utilisation, cette base de données est en soi une vraie mine d'informations.

The comics world
www.comics-world.net

Le premier quotidien sur la bande dessinée. Chaque jour, de nouveaux articles suivent au plus près l'actualité de la bande dessinée en France et dans le monde. B.D. franco-belge, *mangas* et *comics* ont droit au chapitre. Toutes ces informations sont archivées et consultables. Des documents audiovisuels (interviews, reportages...) alimentent la rubrique T.V.

D'autres sites Internet

Le Margouillat, mensuel réunionnais : **www.margouillat.guetali.fr**

Gbich !, hebdomadaire ivoirien : **www.assistweb.net/gbich**

Festival de bande dessinée Cocobulles en Côte-d'Ivoire : **www.assistweb.net/cocobulles**

Le journal du jeudi, “ hebdromadaire satirique burkinabé ” : **www.journaldujeudi.com**

Le magazine *Bo-Doï*, sur la B.D. franco-belge : **www.bo-doi.com**

Le magazine *Animeland*, sur la B.D. japonaise : **www.animeland.com**

Le magazine *Comic Box*, sur la B.D. américaine : **www.comicbox.com**

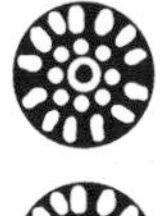

Glossaire

Album

Livre de bande dessinée relié qui contient une histoire terminée (on parle alors d'un « one shot »), ou à suivre, lorsque l'album fait partie d'une série. Beaucoup d'albums classiques de la bande dessinée franco-belge comprennent 44 planches, mais ce standard souffre désormais de nombreuses exceptions.

Aplat

Zone de couleur uniforme, sans variation de nuances.

Bande (ou strip)

Ensemble des cases situées sur une ligne horizontale. Une planche est, en général, constituée de trois ou quatre bandes. Le strip peut être également une petite histoire à lui seul, dans un journal quotidien notamment.

Bleu de coloriage

Planche au format de parution sur laquelle le dessinateur ou le coloriste applique la couleur.

Bulle (ou ballon ou phylactère)

Espace réservé au texte à l'intérieur d'une case. Une bulle est toujours reliée à un personnage. Les récitatifs, eux, s'inscrivent dans un cartouche.

Cadrage

Angle de vue (normal, oblique, plongée…) et plan (plan large, plan moyen, plan américain…), qui définit, comme au cinéma, ce qui est vu dans une case.

Cartouche

Cadre de forme rectangulaire à l'intérieur d'une case où s'inscrivent les récitatifs.

Case (ou vignette)

Espace rectangulaire généralement entouré d'un trait noir, où est dessiné un moment de l'action.

Coloriste

Personne chargée de la mise en couleur d'une bande dessinée.

Comics

Bandes dessinées américaines.

Comic strips

Aux États-Unis, strip seul qui paraît dans les journaux quotidiens.

Couleur directe

Technique consistant à appliquer la couleur directement sur la planche originale, au moment du dessin.

Crayonné

Dessin préliminaire d'une planche ou d'une case.

Dessinateur

Personne qui réalise les dessins d'une bande dessinée. Il peut travailler avec un scénariste et un coloriste.

Encrage

Étape de la fabrication d'une bande dessinée pendant laquelle, après le crayonné, le dessinateur repasse à l'encre les traits définitifs.

Fanzine

Mot-valise pour « fanatic magazine ». Publication réalisée par des bénévoles qui publient leurs bandes dessinées et / ou des informations sur le domaine.

Lecture linéaire / tabulaire

Une bande dessinée se lit de gauche à droite et de haut en bas, c'est ce qu'on appelle la lecture linéaire. Une planche ou une double planche s'appréhende également globalement, dans la construction obtenue par la juxtaposition des vignettes. Certains dessinateurs utilisent cette lecture tabulaire comme un élément d'organisation majeur de leur bande dessinée.

Ligne claire

Expression utilisée depuis Hergé pour qualifier le style graphique caractérisé par un trait dépouillé et des couleurs posées en aplats.

Mangas

Bandes dessinées japonaises (signifie littéralement « images dérisoires »).

Onomatopée

Mot ou expression qui restitue visuellement un bruit ou un son dans une case.

OAV (Original Animation Version)

Au Japon, film en dessin animé spécialement réalisé pour la vidéo.

Planche

Ensemble des cases et des bandes réunies sur une seule page.

Planche originale

Dessin définitif d'une planche réalisée par un auteur, et non reproduction.

Prépublication

Parution d'une partie d'une série de bande dessinée dans un périodique avant sa parution en album.

Roman graphique

Genre de bandes dessinées ayant les mêmes ambitions narratives que le roman. Cette bande dessinée qui s'adresse aux adultes est apparue dans le mensuel (À suivre), avec les œuvres d'auteurs comme Hugo Pratt ou Jacques Tardi.

Récitatif

Indication de lieu ou de temps servant à situer une action (exemple : « Quelques heures plus tard... »). Les récitatifs se situent en haut des cases, dans des cartouches.

Scénariste

Personne qui écrit le scénario, qui sera ensuite mis en images par le dessinateur. Certains scénaristes indiquent le découpage en cases et écrivent les dialogues qui apparaîtront dans les bulles.

Story-board

Croquis préparatoire où le dessinateur effectue le découpage en cases, détermine la taille de chaque vignette, et esquisse l'action dans chacune d'entre elles.

Strip

Voir Bande.

Vignette

Voir Case.

Brèves

Notre Librairie au 3 ème Salon du livre insulaire, Île d'Ouessant, 23-26 août 2001

Pour sa 3ème édition, le salon international du livre insulaire avait pour invités d'honneur les représentants de l'océan Indien. Poètes, romanciers, universitaires de Madagascar, de Maurice et de la Réunion ont été chaleureusement accueillis par les Ouessantins durant quatre jours. Dans le gymnase, éditeurs et diffuseurs de Corse, de Tahiti, de la Martinique et d'Haïti présentaient leurs ouvrages, tandis que sous le chapiteau se déroulaient débats, projections et visioconférence retransmise par RFO (Réseau France Outre-Mer). On a pu ainsi rencontrer sur le stand des éditions Grand Océan de Saint-Denis de la Réunion (directeur : Jean-François Reverzy) Issa Asgarally, universitaire mauricien, rédacteur en chef de la revue littéraire *Italiques* et animateur de l'émission culturelle télévisée « Passerelles ». Il présentait sous le chapiteau « L'île-écriture ou le renouveau de la littérature à Maurice » et en avant-première son film « Voyage à Rodrigues » réalisé à l'occasion d'une visite de Jean-Marie Le Clézio dans l'île de son enfance. Serge-Henri Rodin, universitaire malgache, écrivain et critique littéraire et artistique, venait dédicacer son roman **Caprice de la lune** (Grand Océan, 2000) et animer une conférence « Le soleil et la lune sur le Grand Océan : mythes fondateurs malgaches ». Vinod Rughoonundun, poète mauricien, signait son dernier recueil **Chair de toi** (Grand Océan, 2001).

Ananda Devi, écrivaine mauricienne et traductrice, présidente du jury 2001 des prix littéraires du salon, a d'ailleurs récompensé les éditions Grand Océan pour **Fable des Hautes terres** de Michel Le Parc dans la catégorie Poésie, ainsi que Katherine-Marie Pagé, dans la catégorie Beaux-livres pour son ouvrage **Haïti... un autre regard**.

Sur le stand ADPF/*Notre Librairie*, avaient été sélectionnés les numéros sur les îles et en particulier le dernier paru « Littératures insulaires du Sud » (n°143, janv.-mars 2001).

L'année prochaine la Nouvelle-Calédonie sera à l'honneur et en 2004, Haïti viendra y fêter le bicentenaire de son indépendance.

Lire en Fête : édition 2001

« Lire en fête », manifestation destinée à faciliter l'accès à la lecture pour tous, a réuni en octobre une nouvelle fois tous ceux qui aiment les rencontres partagées autour du livre.

Pour cette treizième édition, des manifestations ont été organisées sur tous les continents dans plus de 300 lieux d'accueil : réseau culturel français à l'étranger, librairies françaises et internationales, bibliothèques et établissements scolaires.

Pour la quatrième année consécutive, « Lire en fête » a eu son prolongement sur Internet avec de nombreuses animations en ligne.

www.lire-en-fete.culture.fr/lire2001/present.html

Exposition
Léopold Sédar Senghor

Exposition conçue et réalisée par l'ex-CLEF

Coordination et iconographie : Mireille Brunot et Marie-Clotilde Jacquey
Rédaction : Daniel Delas
Conception graphique : Olivier Brunot

Avec le concours
de l'ex-Secrétariat d'Etat à la Coopération
du Ministère des Affaires étrangères
de l'Agence de la Francophonie

adpf .
Service diffusion
6, rue Ferrus
75683 Paris cedex 14
Tél (33) 01 43 13 11 00
Fax (33) 01 43 13 22 95
diffusion@adpf.asso.fr
www.adpf.asso.fr

Brèves

Lectures du Monde

L'association « Lectures du Monde » se propose d'être à Marseille un relais du projet « Rwanda, écrire par devoir de mémoire », initié depuis 1998 et présenté pour la première fois au salon du livre africain de Lille organisé dans le cadre du Fest'Africa en novembre 2000.

Le 13 octobre 2001, une rencontre réunissant cinq écrivains ayant participé au projet (Tierno Monénembo, Abdourahman A. Waberi, Véronique Tadjo, Nocky Djedanoum et Boubacar Boris Diop), a permis de témoigner de cette expérience d'écriture unique et de soulever face au public la question du génocide.

Lieu de la manifestation :
C.R.D.P., 31, bd d'Athènes,
13001 Marseille.
Lectures du Monde : 11, rue Lafayette,
13001 Marseille.
Tél. : 04 91 08 48 99

Bibliothèques partenaires

Le prix des Bibliothèques Partenaires France-Afrique, organisé par l'association Culture et Développement, a réuni son jury le 7 septembre 2001 au siège de l'ADPF. Quatorze dossiers ont été examinés.

Le premier prix, d'une valeur de 20.000 FF, est destiné à l'acquisition de livres. Il a été attribué au réseau des bibliothèques d'Athis-Mons (Essonne - France) et à la bibliothèque de Filingué (Département de Tillabery - Niger).

Ce choix récompense la qualité de la démarche suivie qui associe développement durable et dialogue interculturel.

Culture et Développement
9, rue de la poste – 38000
Grenoble – France
TEL. : 04 76 46 80 29
nord.sud@culture-developpement.asso.fr

Des nouvelles du RESAFAD...

Le bulletin d'information n°8 (juin 2001) du REseau Africain de Formation A Distance fait part de ses programmes ainsi que de ses nouveaux horizons en poursuivant dans sa volonté de développer une expertise nationale africaine dans le domaine des Nouvelles Technologies pour l'Education.
Parmi les projets en chantier, sont prévus : l'extension du réseau à de nouveaux pays et la création d'un portail Internet permettant d'optimiser le site du Resafad.

Le nouveau site du Resafad est consultable à l'adresse : www.edusud.org
RESAFAD
ADPF, 6, rue Ferrus, 75683 Paris Cedex 14.
Tél. : 01 43 13 15 02
Télécopie : 01 43 13 15 04
valerie.cador@resafad.net

Journées littéraires à Pointe-Noire

Au Centre Culturel Français de Pointe-Noire (Congo), le 26 mai dernier, un colloque a été consacr[é] à l'écrivain Tchitchelle Tchivela, avec de nombreuses communications d'intellectuels, enseignants, hommes politiques et hommes de culture, dont Jean-Baptiste Tati-Loutard.

Le CCF a également accueilli, au mois d'août, une exposition consacrée à Sony Labou Tansi ains[i] que des cycles de conférences autour de l'œuvre et de l'écrivain, avec la participation, entres autres de spécialistes comme Jacques Chevrier, Mukala Kadima Nzuji, Jean-Michel Devesa.

CCF de Pointe-Noire, B.P. 1288, Pointe-Noire, République du Congo.
Tél. : (242) 94 01 97
Télécopie : (242) 94 05 82
ccfp10@calva.com

Salon du livre de Paris bilan pour 2001

Le rapport annuel du 21ème Sal[on] du livre de Paris, qui s'est déroul[é] en mars dernier, est paru. Il fait é[tat] des manifestations-phares de l'événement. Le bilan, pour 2001, recense, notamment, 237.386 visiteurs, 16.000 professionnels, 26.700 jeunes, 27 pays et 21 régi[ons] représentés, ainsi que la présenc[e] de 1500 journalistes.

Mention est faite de la haute fréquentation des stands de band[e] dessinée due, en particulier, au succès incontestable de l'expositi[on] Astérix lancée à l'occasion de la sortie du 31ème album, **Astérix et Latraviatta**.

Reed-OIP, 11, rue du Colonel Pierre-Avia
B.P. 571, 75726 Paris Cedex 15
Tél. : 01 41 90 47 40
Télécopie : 01 41 90 47 49
livre@reed-oip.fr
www.salondulivreparis.com

Brèves

Cocobulles

Tel est le nom de la première édition du festival international du dessin de presse et de la B.D. de Grand-Bassam (Côte-d'Ivoire), programmée pour la période du 2 au 5 novembre 2001. Parmi les partenaires locaux, l'association « Tache d'encre » et l'hebdomadaire ivoirien de B.D. *Gbich !*.
Pour tout renseignement, visitez le site Internet du festival dont l'adresse est mentionnée ci-dessous.

Cocobulles / revue *Gbich !*, 10 B.P. 389, Abidjan 10, Côte-d'Ivoire
Tél. / Télécopie : (225) 21 26 31 94 / (225) 05 88 33 89
www.assistweb.net/cocobulles

« Lam métis » au Musée Dapper

Du 26 septembre 2001 au 20 janvier 2002, le musée Dapper consacre une exposition à l'artiste cubain Wilfredo Lam. **Lam métis** est le titre d'un ouvrage collectif qui donne les clefs de l'analyse de son œuvre, ce sont des essais où écrivains, musiciens, historiens de l'art et anthropologues en soulignent le caractère prémonitoire : tout en préservant la diversité des univers qu'elle allie, l'œuvre de Wilfredo Lam a su alors donner forme à l'utopie de cette culture de métissage qui est devenue la nôtre aujourd'hui. (Editions Dapper Beaux-Arts, septembre 2001).

Musée Dapper, 35, rue Paul valéry, 75116 Paris
Editions Dapper, 50, avenue Victor Hugo, 75116 Paris
Tél. : 01 45 00 01 50
Télécopie : 01 45 00 27 16
dapper@club-internet.fr

Cultures Croisées

Cette association à but non lucratif s'est donné pour objectif de favoriser, dans l'espace francophone, l'expression de l'interculturalité, en offrant un appui à l'écriture et à la publication d'ouvrages, bénévolement et dans les limites de ses moyens. Elle a notamment pour mission de faire diffuser, par de grandes maisons d'édition, des créations étrangères. Les éditions Cultures Croisées ont déjà à leur actif plusieurs collections, donnant à chaque auteur le libre choix de son mode d'expression.

Un catalogue des publications est d'ores et déjà disponible.

Editions Cultures Croisées, 1, avenue Maurice de Vlaminck – P.64, 77680 Roissy-en-Brie
Tél : 01 60 28 34 04
Télécopie : 01 60 28 40 21
anne-marie.hochet@wanadoo.fr

Xavier Orville

Nous avons appris avec une profonde tristesse la mort de Xavier Orville, le 19 août dernier en Martinique.

Nos lecteurs ont pu lire, dans l'avant-dernier numéro de *Notre Librairie* consacré aux littératures insulaires du Sud, un article de ce grand auteur antillais auquel était jointes une biographie et une bibliographie.

Festival International de la Bande Dessinée

Du 24 au 27 janvier 2002, la ville d'Angoulême sera en fête à l'occasion de la 29ème édition de son fameux festival international de la bande dessinée, qui, par sa notoriété, est devenu le Festival de référence de dimension internationale en matière de neuvième art.

Sa vocation est double : aller à la rencontre d'un nombreux public (200 008 entrées en 2001), et satisfaire les professionnels pour lesquels l'événement représente un carrefour stratégique.

Festival International de la Bande Dessinée,
2, place de l'hôtel de Ville, 16000
Angoulême
Tél : 05 45 97 86 50
Télécopie : 05 45 95 99 28
www.bdangouleme.com
info@bdangouleme.com

La rentrée au Musée de l'Homme

Le programme de l'automne 2001 du Muséum d'histoire naturelle et du musée de l'Homme est paru, avec, outre les expositions permanentes, un calendrier des expositions temporaires. On retiendra une exposition de photographies d'Afrique présentant des clichés récents de Michael Lewis (National Geographic) et illustrant la diversité des paysages, des peuples et des cultures africaines, ainsi qu'une rétrospective des photographies retraçant le travail effectué par le National Geographic sur ce continent depuis les années 1930. Pour compléter ce « portrait d'un continent », une sélection d'objets ethnographiques provenant d'Ethiopie, du Soudan et du Cameroun ainsi que des animations vidéo et des projections documentaires sont programmées.

« Africa : portraits d'un continent », du 31 août au 21 octobre 2001
Palais de Chaillot, 17, place du Trocadéro, 75116 Paris
Tél. : 01 44 05 72 72
www.mnhn.fr

Rectificatif

Dans le précédent numéro :
- l'article « Écrire aujourd'hui » mentionne l'ouvrage d'Henri Lopes intitulé **Le Lys et le Flamboyant**. La date de parution de ce roman est 1997 et non 1987. Toujours dans cet article, l'orthographe exacte de l'auteur du **Printemps des Ombres** est Khal Torabully.
- la note de lecture de Diallo Bios sur l'ouvrage d'Alain Mabanckou, débute de la manière suivante : « *Le roman* **Bleu-Blanc-Rouge** *l'avait sacré, en 1999, Grand Prix littéraire de l'Afrique noire. Alain Mabanckou ne quitte pas pour autant ses premières amours, la poésie. C'est par là qu'il commença.* ***Et Dieu seul sait comment je dors*** *explore un autre genre* ». Le reste sans changement.

Nos excuses aux auteurs des articles et des ouvrages cités.

Notre Librairie titres disponibles

Hors série	Guide du bibliothécaire, 1996 (nouvelle édition actualisée)	50 F
Hors série	Littératures francophones, 1994	100 F
Hors série	Créateurs africains à Limoges, 1993	50 F
N° 84	Littératures nationales 2 « Langues et frontières »	40 F
N° 85	Littératures nationales 3 « Histoire et Identité »	40 F
N° 86	Littérature de Côte d'Ivoire ... tome I	45 F
N° 87	Littérature de Côte d'Ivoire ... tome II	45 F
	Images du Noir dans la littérature occidentale :	
N° 90	Du Moyen Age à la conquête coloniale ... tome I	40 F
N° 91	De la conquête coloniale à nos jours ... tome II	40 F
N° 92-93	Littérature congolaise	60 F
N° 98	Au-delà du Prix Nobel (Colloque de Lagos)	45 F
N° 101	Littérature du Burkina Faso	45 F
N° 102	Théâtre, Théâtres	45 F
N° 104	Dix ans de littératures. Caraïbes - Océan Indien ... tome II	45 F
N° 105	Littérature gabonaise	45 F
N° 106	2 000 titres de littérature des Caraïbes	55 F
N° 107	Littérature nigérienne	50 F
N° 111	La Nouvelle	50 F
N° 112	Littératures du Cap-Vert, de Guinée-Bissau, de São Tomé et Principe	50 F
N° 113	La Littérature du Mozambique	50 F
N° 114	Littérature mauricienne	55 F
N° 115	Littérature d'Angola	50 F
N° 118	Nouvelles écritures féminines : Femmes d'ici et d'ailleurs ... tome II	55 F
N° 122	Littérature d'Afrique du Sud. Poésie ... tome I	50 F
N° 123	Littérature d'Afrique du Sud. Roman, nouvelle, théâtre ... tome II	50 F
N° 124	Littérature béninoise (nouvelle édition revue et augmentée)	60 F
N° 125	Cinq ans de littératures (1991-1995) - Afrique Noire ... tome I	60 F
N° 126	Cinq ans de littératures (1991-1995) - Afrique Noire ... tome II	60 F
N° 127	Cinq ans de littératures (1991-1995) - Caraïbes ... tome I	60 F
N° 128	Cinq ans de littératures (1991-1995) - Haïti - Océan Indien ... tome II	60 F
N° 129	1500 nouveaux titres de littérature d'Afrique noire	70 F
N° 130	500 nouveaux titres de littérature des Caraïbes et de l'Océan Indien	40 F
N° 132	Littérature haïtienne : des origines à 1960 ... tome I	70 F
N° 133	Littérature haïtienne : de 1960 à nos jours ... tome II	80 F
N° 134	Littérature de Nouvelle-Calédonie	80 F
N° 135	Nouveaux paysages littéraires 1996-1998 / 1	70 F
N° 136	Nouveaux paysages littéraires 1996-1998 / 2	70 F
N° 137	Poésie africaine	70 F
N° 138-139	Actualité littéraire 1998-1999	70 F
N° 140	Littérature du Nigeria et du Ghana / 1	70 F
N° 141	Littérature du Nigeria et du Ghana / 2	70 F
N° 142	Actualité littéraire 1999-2000	70 F
N° 143	Littératures insulaires du Sud	70 F
N° 144	La question des savoirs	70 F
N° 145	La bande dessinée	70 F

Abonnement / Commande à retourner à l'adpf . Service diffusion
6, rue Ferrus, 75683 Paris cedex 14
tél. (33) 01 43 13 11 00 ♦ fax (33) 01 43 13 22 95 ♦ diffusion@adpf.asso.fr

Nom : ....

Adresse : ....

....

Souhaite souscrire un abonnement annuel (4 numéros, à compter du N°..................)

Tarifs 2001 : ❑ 260 F (39,63 €) Union européenne port inclus
❑ 290 F (44,21 €) hors Union européenne port inclus

Souhaite recevoir les numéros suivants :
N° .... en .... exemplaire(s)
N° .... en .... exemplaire(s)
N° .... en .... exemplaire(s)

et pour cela joint un chèque de .... F (pour la France)
ou un mandat international de .... F (pour l'étranger)

Date : Signature :

Achevé d'imprimer par Dumas-Titoulet Imprimeurs, 42100 Saint-Étienne
Dépôt légal : septembre 2001 – N° d'imprimeur : 36645 – N° d'inscription à la C.P.P.A.P. : 1 263 AD – Code d'ouvrage : 59-404-32